Chères lectrices,

« Cet enfant que j'aime est-il réellement le mien ? » se demande Lee Garvey le héros du *Combat d'un homme* (Amours d'Aujourd'hui N° 833). Cette interrogation qui en réalité va bien au-delà des doutes d'un père angoissé, soulève une question complexe et passionnante. Comment peut-on définir la paternité ? Est-ce le simple résultat d'un test ADN ? Ou, plus justement, la mission, faite d'amour et de patience, qui consiste à éduquer, accompagner son enfant et à lui donner les armes nécessaires pour affronter sa vie d'adulte…

Parmi les titres au programme du mois d'août, un autre roman — *La revanche du bonheur* (N° 834) — apporte un éclairage enrichissant sur cette question. Enceinte d'un homme qu'elle n'aime plus, Jennifer n'attend qu'une chose de ce dernier : qu'il reconnaisse leur bébé. Mais ce que cet homme lui refuse, un autre va le lui offrir. Un homme merveilleux dont elle comprend tout de suite, avec son instinct de mère, qu'il sera le père idéal pour son enfant.

Ainsi, au fil des pages de ce livre bouleversant, vient se substituer à la notion de simple géniteur une image sensible et généreuse, celle de « père de cœur ».

Bonne lecture à toutes !

La responsable de collection

La revanche du bonheur

ANNE HAVEN

La revanche du bonheur

AMOURS D'AUJOURD'HUI

Cet ouvrage a été publié en langue anglaise
sous le titre :
HER BABY'S FATHER

Traduction française de
BÉNÉDICTE DUCHET-FILHOL

Photo de couverture :
© SUPERSTOCK / STOCK IMAGE

83-85, boulevard Vincent-Auriol, 75013 PARIS — Tél. : 01 42 16 63 63
Service Lectrices — Tél. : 01 45 82 47 47
ISBN 2-280-07833-3 — ISSN 1264-0409

1.

« Allez, courage ! Ce n'est pas le moment de flancher ! »

Jennifer Burns se répéta ces mots tandis qu'elle arrêtait son vieux break poussiéreux devant la maison de Ross Griffin. Elle coupa le contact et resta un moment immobile, les mains sur son gros ventre reprenant force en pensant à la vie qui grandissait en elle.

C'était pour son bébé qu'elle faisait cela et, pour lui, elle aurait fait des choses bien plus difficiles encore.

A en juger par le 4x4 garé dans la contre-allée, Ross était chez lui. Il habitait une grande demeure de style victorien perchée sur une colline qui dominait Portland. Sa façade jaune pâle aux moulures peintes d'une couleur pêche un peu plus foncée avait un aspect chaud et lumineux dans la douce clarté de cette soirée de juin. Une pelouse bien entretenue, fermée par une haie basse, descendait en pente douce vers l'avenue, et un pot de fleurs pendait de l'auvent du perron.

Cette maison plaisait à Jennifer. Il devait faire bon y vivre et, dans d'autres circonstances, elle aurait été contente de savoir ce que Ross était devenu. La dernière fois qu'ils s'étaient vus, elle n'était qu'une gamine de dix-sept ans, à peine sortie de l'enfance. Elle avait depuis pris des formes que sa grossesse avait encore accentuées... Ross allait être surpris ! La reconnaîtrait-il seulement ?

La portière de la voiture émit son grincement habituel quand Jennifer l'ouvrit. Elle posa les pieds sur le trottoir et se mit debout avec peine : ces deux jours de voyage l'avaient complètement ankylosée, et elle avait très mal au dos.

Douloureusement consciente de sa corpulence et de sa démarche pataude, elle remonta l'allée. Chaque pas la rapprochait d'un moment qui l'angoissait, mais elle n'avait pas pu se résoudre à appeler Ross. Elle avait essayé à trois reprises, et raccroché les trois fois avant d'avoir composé le dernier chiffre de son numéro. C'était stupide et illogique, elle le savait, mais elle avait peur qu'il ne lui raccroche au nez. Ils s'étaient quittés dans des circonstances un peu particulières et, vu ce qui s'était passé avec le frère de Ross, elle n'était pas sûre d'être bien accueillie. L'amitié que Ross et elle avaient autrefois partagée ne voulait peut-être plus rien dire pour lui, mais elle préférait malgré tout lui parler de vive voix. Les enjeux étaient trop importants.

La jeune femme gravit lourdement les marches du perron, en se tenant à la rampe pour ne pas risquer de perdre l'équilibre. Etait-ce l'effort physique ou l'appréhension qui accélérait ainsi son pouls ? Quoi qu'il en soit, ce fut le cœur cognant à grands coups dans sa poitrine qu'elle arriva en haut de l'escalier.

S'exhortant une dernière fois au courage, Jennifer inspira profondément et appuya sur la sonnette.

Mi-amusé, mi-agacé, Ross se rendit dans le vestibule. Pourquoi diable avait-il accepté de garder ce chien pendant une semaine ? Frank était mignon, mais sa passion pour les plantes vertes — sans parler de son estomac fragile — posait des problèmes. La prochaine fois que Kyle, Melissa et leur petite Emily partiraient en vacances, il faudrait qu'ils le confient à un chenil…

Ross ouvrit la porte et vit une femme enceinte debout sur le perron. Enfin, non, pas juste « une femme enceinte ». Quelqu'un qu'il avait connu. Dans une autre vie.

— Jennifer ? dit-il d'une voix un peu hésitante.

— Oui, c'est bien moi. Bonjour, Ross !

Son esprit remonta neuf années en arrière, jusqu'à cet été où Jennifer sortait avec Andrew, son frère cadet. C'était l'une des rares occasions où il avait été jaloux de lui. Il se rappela aussi les longues promenades qu'il avait faites avec Jennifer, leurs discussions animées sur la terrasse du jardin de ses parents, dans l'air tiède du soir. Il avait alors vingt et un ans et croyait tout savoir sur tout.

Jennifer avait changé. Plus courts qu'autrefois, ses cheveux blond cendré lui arrivaient aux épaules, et cette nouvelle coiffure lui allait bien. Son visage était plus plein, avec ce rayonnement particulier des femmes enceintes en bonne santé. Elle portait une tunique rose avec une tache d'eau de Javel sur la manche et un pantalon corsaire tout froissé, comme si elle était restée longtemps assise, et qui laissait à découvert des chevilles un peu enflées au-dessus de tennis blanches bon marché. Elle avait l'air anxieux mais déterminé d'une personne venue pour un motif très précis, et très sérieux.

Il ne fallut pas plus de trente secondes à Ross pour comprendre la situation, et il sentit une bouffée de colère l'envahir. Contre son frère. Contre Jennifer. Contre lui-même, pour ne pas être capable de se sentir indifférent aux ennuis d'une femme qu'il n'avait pas vue depuis près de dix ans.

— Il faut que je te parle, dit-elle en trépignant nerveusement. Je peux entrer ?

Ross l'invita de la main à passer sous l'arcade qui faisait communiquer le vestibule et le séjour.

Dans son programme de la soirée, il n'avait certainement pas prévu ni de réparer les dégâts causés par un chien qui ne lui appartenait pas, ni de recevoir une Jennifer Burns enceinte de son frère.

— Excuse-moi un instant, murmura-t-il avant d'aller chercher l'aspirateur dans le placard de l'entrée.

L'un au moins des problèmes qui lui tombaient dessus était facile à régler.

Ross rejoignit sa visiteuse dans le séjour et se mit au travail sans lui fournir d'explications. Le pot de céramique dans lequel se trouvait la malheureuse fougère s'était cassé en trois morceaux ; il les ramassa, puis passa l'aspirateur sur le tapis.

Le bruit de l'appareil, qui interdisait toute conversation, aurait dû lui donner le temps de prendre une décision. Pourtant, une fois sa tâche terminée, il se sentait encore partagé entre l'envie de dire à Jennifer de partir pour ne jamais revenir et celle de rétablir les liens qui les unissaient autrefois.

Elle avait cependant couché avec Andrew... Elle portait l'enfant d'Andrew... Comment avait-elle pu renouer avec lui ? Que lui trouvait-elle donc ? Et pourquoi lui, Ross, était-il assez bête pour s'intéresser au sort d'une femme qui manquait à ce point de jugement ?

— Ça faisait longtemps qu'on ne s'était pas vus, dit-elle avec un sourire contraint. Comment vas-tu ?

— Bien. Et toi ?

— Moi aussi.

Un lourd silence s'installa. Ross débrancha l'aspirateur, et Frank sortit de sous le canapé pour aller renifler les chaussures de Jennifer. Elle s'accroupit et tendit la main vers le chien, qui la lécha avant de reculer aussi vite que le lui permettait sa patte manquante, et de disparaître dans le vestibule.

— Ta grossesse se passe bien ? demanda Ross.

— Oui.

Nouveau silence. La jeune femme se redressa et attendit, l'air gêné, la question suivante — celle que Ross se força à poser parce qu'ils la savaient tous les deux inévitable.

— Je connais le père ?

Jennifer le regarda droit les yeux, ouvrit la bouche, mais les mots lui restèrent dans la gorge, et elle se contenta de hocher la tête.

2.

Neuf ans plus tôt

Ce n'est vraiment pas marrant d'être nouvelle, même si je commence à avoir l'habitude, depuis le temps ! Je sais par exemple qu'il faut faire semblant de ne pas remarquer les regards curieux des autres élèves, feindre d'avoir en tête des choses beaucoup plus importantes que tout ce qui se passe autour de soi, ou bien se plonger dans un livre... Les livres sont très utiles, dans ce genre de situation : ils permettent de cacher à quel point on se sent seul et mal à l'aise.

C'est l'expérience qui m'a appris ces règles : je ne suis qu'en première, et j'ai déjà changé trois fois de lycée ! J'adore ma mère, mais elle a la bougeotte au point que j'ai perdu le compte des villes où nous avons vécu depuis ma naissance.

Le jour où Andrew m'a parlé pour la première fois, j'avais renoncé à me faire des amis dans cette école, mais c'est quelque chose dont il n'a pas eu l'air de se rendre compte.

Jamais je n'oublierai ce moment...

Andrew était assis dans le coin de la cafétéria où il s'installait toujours avec sa bande. Personne n'osait s'y mettre à l'heure du déjeuner, ni occuper une place provisoirement libre à « leur » table. Alors que je passais près d'eux avec mon plateau, un projectile a atterri dans mon bol de soupe, éclaboussant mon pull-over préféré, le bleu-gris que maman m'a acheté à Seattle dans un vide-grenier. J'ai entendu des ricanements.

Seul Andrew ne riait pas. Il avait plutôt l'air compatissant et, avant que j'aie eu le temps de m'éclipser, il s'était levé, m'avait pris le plateau des mains et me tendait une serviette.

— Il faut que tu excuses mon copain Brian, m'a-t-il dit. Le lancer de frite est son sport favori.

J'ai attrapé la serviette et tamponné les taches en évitant son regard. J'étais toute rouge et je me sentais affreusement bête.

— Tu t'appelles Jennifer, c'est ça ? a-t-il ajouté. On est assis l'un à côté de l'autre en cours d'espagnol. Moi, je suis Andrew Griffin.

Je me suis risquée à lui jeter un coup d'œil, ce qui m'a obligée à lever la tête, car il était très grand, mais mon audace a été récompensée : il y avait dans ses yeux bleus une sollicitude qui paraissait sincère, et sur son visage un sourire presque timide, comme s'il ignorait que la moitié des filles du lycée étaient amoureuses de lui... Une chose que je savais depuis le jour de la rentrée, car j'avais surpris une conversation entre deux anciennes devant les casiers.

— Désolé pour cet incident, a continué Andrew. Je vais te chercher un autre bol de soupe.

C'est comme ça que nous avons fait connaissance. J'étais un peu méfiante au début, parce que je manquais terriblement d'assurance et que je ne comprenais pas la raison de son subit intérêt pour moi. Mais il me plaisait aussi beaucoup, j'étais flattée de son attention, et j'ai donc vite oublié mon aversion pour ces petits clans d'élèves, à la fois admirés et jalousés par les autres.

Je l'ai oubliée d'autant plus vite que la bande d'Andrew m'a adoptée : je me suis mise à passer de plus en plus de temps non seulement avec lui, mais aussi avec Brian, Kurt, Molly et Heather.

Ensuite je me suis sentie tout à fait à l'aise avec eux. J'ai enfin l'impression d'être à ma place quelque part.

C'est tellement agréable d'aller à des fêtes, de recevoir plein de coups de téléphone, d'avoir des amis avec leur propre voiture et capables de dépenser en une soirée plus d'argent que ma mère n'en gagne en une semaine ! Molly et Heather me prêtent des habits et me donnent des conseils de maquillage et de coiffure. Grâce à elles, je parais dix ans de plus, et je suis cent fois plus sophistiquée !

Il n'a pas fallu longtemps pour qu'Andrew et moi sortions ensemble. J'ai une dette énorme envers lui : il m'a permis de sortir de ma coquille et de me transformer en une personne pleine d'assurance, d'insouciance et de gaieté.

C'est l'été suivant que les choses se sont compliquées. Quand Ross, le frère aîné d'Andrew, est venu passer chez lui les vacances universitaires…

Aujourd'hui

En recevant la confirmation qu'Andrew était le père du bébé de Jennifer, Ross éprouva un violent pincement au cœur. Sans doute avait-il espéré, contre toute logique, qu'elle lui annoncerait qu'il s'était trompé.

Comment Andrew avait-il pu faire cela ? Son inconséquence allait porter un coup terrible à Lucy, sa femme, et à leur mère, qui sortait à peine de l'hôpital. Elle était en voie de guérison, mais devait éviter tout stress jusqu'à son complet rétablissement, et ce n'était pas le genre de personne à accueillir avec sérénité la nouvelle que son fils cadet allait avoir un enfant illégitime.

Ross étouffa le juron qui lui montait aux lèvres.

— Je reviens, marmonna-t-il.

L'aspirateur dans une main et les débris du pot dans l'autre, il quitta la pièce. Une fois l'appareil rangé à sa place et les morceaux de céramique jetés dans la poubelle de la cuisine, il se lava les mains à l'évier, puis remplit deux verres d'eau.

Les choses auraient été tellement plus simples si, après tout ce temps, il n'avait pas éprouvé autant d'affection pour Jennifer, s'il n'avait pas été content de la revoir en dépit des circonstances…

De retour dans le salon, il la trouva postée devant la baie vitrée qui offrait une vue imprenable du centre-ville de Portland. Il alla la rejoindre et lui tendit l'un des verres. Ce n'est qu'alors qu'il remarqua le break blanc couvert de poussière qui était garé devant le portail du jardin. Une lampe, des cartons, un cactus en pot et ce qui ressemblait à un édredon plié en deux s'entassaient sur la banquette arrière. La voiture était immatriculée en Californie.

— Ta maison est très bien placée, dit Jennifer. Je l'aime beaucoup.

— Merci.

— Tu y vis seul ?

— Oui.

Cela avait-il de l'importance pour elle ? pensa Ross, juste avant de se demander s'il avait envie que ce soit le cas.

La réponse à cette dernière question lui fut apportée par l'émotion qui le submergea ensuite en se tournant vers la jeune femme. Elle avait toujours su éveiller chez lui un mélange de tendresse, d'excitation intellectuelle et de trouble sensuel. Leurs quatre années de différence ne l'avaient pas empêché, étudiant, d'admirer la petite lycéenne qui, non seulement avait lu Arthur Koestler et Noam Chomsky, mais avait en plus des choses intelligentes à en dire… Qui était capable de ressentir de la compassion pour une gosse des rues en train de vendre des fleurs sous la pluie… Qui avait accepté d'aider Lenora, sa tante à lui, une parfaite étrangère pour elle, quand elle s'était cassé la cheville.

La dernière fois qu'il avait vu Jennifer, ils s'étaient embrassés. Elle sortait encore avec Andrew, à ce moment-là.

Ross tenta de chasser cette pensée et les remords qui l'accompagnaient. Andrew n'en méritait pas tant après ce qui s'était passé avec Lucy, et d'autant moins que la preuve était maintenant faite de son infidélité. Ross ne parvint pas cependant à refouler ni le souvenir du baiser échangé avec Jennifer, ni le sentiment de culpabilité qui l'accompagnait toujours.

— Tu n'es pas marié ? demanda la jeune femme.

— Non.

— Ton frère m'a dit que tu étais médecin urgentiste…

— Oui, au Centre hospitalier régional de Portland.

— Il faut que je parle à Andrew.

— Il sait, pour le bébé ?

— S'il était au courant, je n'aurais pas tant de mal à le joindre.

Bien que Ross ne partage pas cette opinion, il se contenta de demander :

— Andrew ne t'a pas donné son numéro de téléphone ?

— Il m'en a donné un, mais ce n'est pas le sien.

Voilà qui lui ressemblait ! songea Ross. Si Andrew n'avait pas eu l'intention de revoir Jennifer, il aurait dû le lui annoncer franchement, mais non... Par lâcheté, par souci de sauver les apparences, il lui avait donné un faux numéro de téléphone !

Son expérience de médecin permettait à Ross d'estimer que Jennifer était enceinte d'environ six mois. Il se rappela un voyage d'affaires qu'Andrew avait fait à San Francisco en décembre dernier. Les dates concordaient... et rendaient la conduite de son frère encore plus révoltante.

— Son nom ne figure pas dans l'annuaire, reprit la jeune femme. Il habite pourtant bien à Portland, non ?

— Plus ou moins.

Andrew habitait en réalité à Vancouver, ville située sur l'autre rive du fleuve qui séparait les Etats d'Oregon et de Washington. La différence était cependant pratiquement nulle en termes de distance pour quelqu'un qui venait de San Francisco. Et, même si Jennifer avait pensé à consulter l'annuaire de Vancouver, elle n'y aurait pas trouvé les coordonnées d'Andrew : il s'était mis sur liste rouge afin d'éviter, disait-il, que les clients de son cabinet d'avocats ne l'appellent chez lui pour un oui ou pour un non.

En entreprenant ce long voyage depuis la Californie sans être sûre qu'Andrew était domicilié à Portland ou dans les environs, Jennifer avait donc pris un gros risque.

A moins qu'elle n'ait pas eu le choix, qu'elle soit dans une situation vraiment désespérée...

Ross observa le break plus attentivement. Il y avait des plaques de rouille sur la carrosserie, la portière arrière droite était cabossée et les amortisseurs devaient être fatigués, car le châssis touchait presque terre sous l'effet du lourd chargement. C'était la voiture d'une personne qui n'avait pas les moyens de l'entretenir correctement, et cela cadrait avec les chaussures bon marché et la tunique portée malgré une tache d'eau de Javel sur la manche.

Toutes ces preuves flagrantes de problèmes financiers surprirent Ross : quand il l'avait connue, Jennifer était une élève très douée et motivée, promise à un brillant avenir professionnel. Que lui était-il donc arrivé ?

— Ainsi, tu as fait par la route tout le trajet depuis la Californie ? demanda-t-il.

— Oui.

— Et tu comptes rester ici un certain temps ?

— Oui.

— Ta mère ne t'a pas proposé de t'aider ?

— Elle est morte en novembre dernier d'un cancer du sein.

Ross n'avait vu Mme Burns qu'une fois. C'était devant la maison de ses parents, un jour où elle était venue chercher Jennifer. De cette brève rencontre, il se rappelait seulement qu'elle portait une sorte d'uniforme et avait l'air gentille, mais un peu fatiguée.

— Je te présente mes condoléances, déclara-t-il. Sa maladie a duré longtemps ?

— Sept ans, avec des hauts et des bas.

Cela expliquait sans doute les difficultés matérielles de Jennifer, pensa Ross. Elle avait dû subvenir aux besoins d'une mère qui ne pouvait plus travailler, ni payer de lourdes factures d'hôpital. Il savait aussi qu'il était très dur physiquement et moralement de s'occuper d'un proche atteint d'une telle maladie... Dire que, juste après le décès de sa mère, Jennifer était tombée enceinte d'un homme qui avait brouillé les pistes pour l'empêcher de le retrouver et qui, une fois informé de la situation, refuserait sûrement de reconnaître l'enfant ! Elle n'avait vraiment pas de chance.

— Quand dois-tu accoucher ? demanda Ross.

— Le 14 septembre.

Dans moins de trois mois, donc, et le dernier trimestre d'une grossesse était un moment spécialement mal choisi pour mettre toutes ses affaires dans un vieux break et déménager dans un autre Etat...

— Pourquoi as-tu attendu tout ce temps pour prendre contact avec moi ? Tu aurais pu le faire bien avant — quand tu as découvert ton état et que tu n'as pas réussi à joindre Andrew.

— J'avais mes raisons.

Jennifer n'ayant visiblement pas envie de s'étendre sur le sujet, Ross n'insista pas. Elle avait peut-être envisagé d'avorter, mais sans pouvoir finalement s'y résoudre. A moins qu'elle n'ait d'abord décidé d'élever seule son enfant, avant d'admettre qu'elle n'en avait pas les moyens.

Cette dernière hypothèse paraissait la plus vraisemblable, et Ross sentit un élan de compassion le submerger. Il avait fallu beaucoup de courage à Jennifer pour venir lui avouer sa détresse, et son orgueil devait également souffrir à l'idée d'appeler à son secours un amant qui l'avait quittée en lui laissant pour seules coordonnées un faux numéro de téléphone.

Mais Ross comprenait qu'elle s'y soit finalement résolue. Il savait à quel point les choses étaient difficiles pour une mère célibataire obligée de compter sur ses seules ressources pour subvenir à ses besoins et à ceux de son enfant. Au dispensaire où il assurait une permanence bénévole deux demi-journées par semaine, il avait vu beaucoup de femmes que cette situation avait réduites à la misère, non parce qu'elles étaient stupides ou paresseuses, mais parce qu'elles n'avaient personne pour les aider financièrement ou s'occuper de leur bébé pendant qu'elles travaillaient.

Ross ne voulait pas imaginer Jennifer vivant en dessous du seuil de pauvreté — surtout avec un enfant. Et il était en son pouvoir d'éviter que cela ne se produise. D'éviter aussi que les autres personnes concernées par cette affaire n'en subissent les douloureuses conséquences. Si son frère avait été le seul en cause, il se serait contenté de donner son numéro de téléphone à Jennifer, laissant Andrew face à ses responsabilités. Mais il y avait leur mère, et Lucy, et Jennifer elle-même…

La question que Ross allait lui poser était humiliante pour elle, mais il ne voyait pas d'autre moyen de protéger sa famille.

— De quelle somme as-tu besoin ? demanda-t-il sans oser regarder la jeune femme.

— Pardon ?

— Combien te faut-il pour élever ton enfant, et l'emmener loin d'ici ?

Jennifer tressaillit et sentit ses yeux se remplir de larmes qu'elle refoula à grand-peine. Ross venait de la remettre fermement à sa place, c'est-à-dire en dehors du cercle des gens dont le sort lui importait. Elle avait connu le même genre de rejet de la part de son père quand elle avait treize ans. Aujourd'hui comme alors, elle n'était qu'un problème pour les autres. Un problème dont l'argent permettait de se débarrasser.

Sans un mot, elle tourna le dos à la fenêtre et quitta la pièce d'un pas qui se voulait digne mais qui, compte tenu de son état et de ses jambes flageolantes, ne devait pas l'être tellement. Cela faisait des semaines qu'elle se préparait mentalement à cette entrevue avec Ross, et pourtant l'idée qu'il lui offrirait de l'argent pour qu'elle disparaisse ne l'avait pas effleurée. C'était idiot de ne pas y avoir songé, et plus idiot encore de s'apitoyer ainsi sur elle-même, mais la proposition de Ross lui avait causé un tel choc qu'elle avait besoin de quelques minutes de solitude pour s'en remettre.

La jeune femme remonta le vestibule et poussa la porte d'une grande cuisine qui donnait sur l'arrière de la maison. Elle lava son verre à l'évier et le posa sur la paillasse en essayant de ne penser à rien, mais sans succès : la blessure que Ross venait de lui infliger était la goutte d'eau qui faisait déborder le vase après des mois passés à se débattre contre une multitude de difficultés.

L'hiver précédent, lorsqu'elle avait compris qu'Andrew lui avait laissé un faux numéro de téléphone, elle avait décidé de ne pas le mettre au courant de sa grossesse et d'élever son enfant seule : un homme capable d'une telle perfidie ne pouvait pas faire un bon père. Mais, au printemps, son propriétaire avait réussi à la chasser de son appartement et, pour le même loyer — le seul qu'elle pouvait se permettre de payer —, elle savait pertinemment qu'elle ne trouverait que de minuscules studios dans les bas quartiers de la ville. Elle avait bien pensé à partager un appartement plus grand avec une colocataire mais avait vite compris que personne n'avait envie de cohabiter avec un nouveau-né.

Des amis l'avaient hébergée à titre temporaire, mais elle avait un peu plus conscience chaque jour de la précarité de sa situation. Elle s'était déjà lourdement endettée pour payer les frais médicaux de sa mère. Que se passerait-il si jamais elle perdait son emploi ou si une autre catastrophe imprévue se produisait ?

Le cancer de sa mère avait bouleversé sa vie, l'obligeant notamment à interrompre ses études universitaires et à gagner tout de suite assez d'argent pour couvrir en partie au moins le coût des traitements et des hospitalisations. Il y avait eu des rémissions, des récidives, une alternance éprouvante de périodes d'espoir et d'anxiété… Au bout de sept années d'un vaillant combat contre la maladie, Andrea Burns y avait finalement succombé, et Jennifer s'était retrouvée seule au monde, son père lui-même étant mort dans un accident de voiture quelques années plus tôt.

Elle s'était réveillée un matin dans le canapé-lit de ses amis en se disant qu'elle n'avait pas le droit de laisser l'histoire se répéter : il était de son devoir de donner à son enfant une chance de nouer de bonnes relations avec un père qui n'était certes pas parfait, mais qui constituerait une sorte de filet de sécurité sur le plan matériel et affectif.

L'arrivée de Ross dans la cuisine arracha Jennifer à ses pensées, mais elle ne bougea pas. Ses mains posées sur le rebord de l'évier se crispèrent juste un peu.

Si seulement il avait pu s'excuser, retirer son offre insultante et lui dire que, portant l'enfant d'Andrew, elle faisait partie désormais de la famille Griffin…

Mais il n'en fit rien, bien sûr, et sa présence silencieuse finit par la rendre nerveuse. Elle se retourna et fut surprise de le voir plus près d'elle qu'elle ne s'y attendait.

— Ce n'est pas pour te demander la charité que je suis venue chez toi, lui lança-t-elle sèchement.

— Je sais.

— Pourquoi m'as-tu proposé de l'argent, dans ce cas ?

Ross ne répondit pas. Il tendit la main, essuya du pouce le sillon humide qu'avait laissé une larme sur la joue de Jennifer, puis, comme mue par une volonté indépendante de la sienne, cette main se referma sur l'épaule de la jeune femme et l'attira vers lui. Elle tenta de résister à l'envie de s'abandonner dans ses bras, d'y chercher soutien et réconfort, mais elle se sentait si seule... Tous ses amis étaient à San Francisco, et Ross, malgré ses paroles de tout à l'heure, avait gardé le pouvoir de la troubler...

Elle se serra contre lui, et les mêmes émotions contradictoires que neuf ans plus tôt l'envahirent : le sentiment qu'elle n'aurait pas dû céder à la tentation, et celui d'y avoir été poussée par une force qui la dépassait.

Le bébé bougea soudain, puis donna un coup de pied que Ross dut percevoir, car il se figea avant de s'écarter de Jennifer et de mettre les deux mains sur son ventre. Le bébé s'agitait toujours, et elle ferma les yeux pour mieux savourer le bonheur de sentir l'enfant qu'elle portait.

Le contact des mains de Ross, fermes et chaudes à travers le tissu léger de sa tunique, semblait créer entre eux un lien très intime, les réunir tous les trois dans un cocon de douceur et de tendresse.

Quand le bébé cessa de remuer, la jeune femme rouvrit les paupières et vit que Ross la fixait intensément. Le charme se rompit, et elle recula d'un pas en détournant les yeux, honteuse de s'être laissée aller à des fantasmes aussi stupides. Le souvenir du passé aurait pourtant dû l'en dissuader — ce baiser si enivrant sur le moment, mais qu'elle avait payé si cher...

— Donne-moi le numéro de téléphone de ton frère, dit-elle. C'est tout ce que je te demande.

— Il ne t'aidera pas.

— Tu n'en sais rien !

— Malheureusement, si, alors dans ton propre intérêt, accepte mon offre et oublie Andrew !

— Je ne peux pas.

— Tu y seras obligée, d'une manière ou d'une autre.

Perplexe, Jennifer scruta le visage de son interlocuteur pour essayer de comprendre ce qu'il lui cachait, pourquoi il était si sûr qu'Andrew refuserait d'assumer ses responsabilités.

Et soudain, la lumière se fit dans son esprit : la vérité lui apparut avec une clarté, une évidence terrifiantes.

— Il est marié, n'est-ce pas ? chuchota-t-elle.

3.

Ross garda le silence, mais Jennifer comprit à son expression qu'elle ne s'était pas trompée : Andrew était marié. Elle aurait dû s'en douter... Le faux numéro de téléphone qu'il lui avait donné avait pour but de l'empêcher de reprendre contact avec lui. Il y avait juste une chose qu'il n'avait pas prévue — la seule qui aurait pu la convaincre de relancer un homme dont elle jugeait la conduite méprisable : ils allaient avoir un bébé.

Le faible espoir qu'elle avait nourri de le voir s'impliquer dans l'éducation de leur enfant semblait maintenant totalement utopique. Comme son père lorsqu'elle avait fugué pour le rejoindre, Andrew avait une autre vie, une autre famille. Mais son père, lui, avait au moins été fidèle à sa mère le temps qu'avait duré leur union.

— Depuis combien de temps Andrew est-il marié ? demanda Jennifer.

— Deux ans. Je suis désolé...

— Ce n'est pas ta faute.

— Si tu t'asseyais ?

— Non, je suis mieux debout, après toutes ces heures passées au volant.

Ross observa un moment son interlocutrice en silence avant de reprendre :

— Ma proposition tient toujours.

Combien était-il prêt à payer pour qu'elle s'en aille ? songea Jennifer. Il devait gagner beaucoup d'argent ; une somme qui lui paraîtrait dérisoire suffirait sans doute à les faire vivre, elle et son enfant, pendant plusieurs années. Peut-être même pourrait-elle finir de rembourser ses dettes.

— Tu veux que je quitte la ville sans parler à Andrew, pour qu'il n'ait pas à subir les conséquences de son infidélité et puisse continuer de mener sa petite existence tranquille, c'est ça ?

Malgré son ton agressif, la jeune femme commençait à sentir sa résolution vaciller : ne serait-il pas plus sage d'accepter l'offre de Ross et de repartir dès le lendemain pour San Francisco ? Ses amis la logeraient de nouveau le temps de trouver un appartement et, avec un peu de chance, elle réussirait à persuader Benita Alvarez de lui redonner son emploi au magasin de fournitures de bureau.

— Oui, c'est ce que je veux, déclara Ross.

Sa réponse avait le mérite d'être franche, mais les hésitations de Jennifer furent soudain balayées par une violente bouffée de colère. Elle se rappelait sa conversation avec Andrew dans ce café branché où il l'avait emmenée, et où le prix d'un simple jus de fruits dépassait son salaire horaire de secrétaire. Elle lui avait demandé s'il y avait une autre femme dans sa vie, et il lui avait affirmé que non en la regardant droit dans les yeux, allant jusqu'à mettre une pointe d'autodérision dans sa réponse pour la rendre plus convaincante.

— Tu n'es pas obligé de me croire, dit Jennifer, mais je pensais que ton frère et moi étions tous les deux libres et sans attaches.

— Je te crois.

— A cause de lui, je suis dans une situation impossible. Il m'a menti de façon éhontée, et je compte le mettre en face de ses responsabilités. Ce sera sûrement dur pour sa femme, mais je n'ai pas le choix.

— Attends ! Il y a encore quelque chose que tu ignores. Ma belle-sœur est… est enceinte, elle aussi.

Jennifer resta sans voix, mais à la stupeur succéda vite un sentiment de pitié pour cette épouse qui allait apprendre l'infidélité de son mari au pire moment. Durant leur grossesse les femmes étaient particulièrement émotives et vulnérables, elle était bien placée pour le savoir. A la joie de porter la vie se mêlaient des angoisses incontrôlables : la peur de faire une fausse couche, de donner naissance à un enfant atteint de quelque malformation, de voir son mari partir ou prendre une maîtresse…

Et, dans le cas de la femme d'Andrew, cette dernière crainte s'avérait justifiée… Jennifer eut honte d'elle-même et dut se raisonner pour regarder la vérité en face : Andrew était le seul à blâmer dans cette affaire.

— Dans combien de temps ta belle-sœur accouche-t-elle ? demanda-t-elle.

— Dans trois mois.

Trois mois… Jennifer n'en croyait pas ses oreilles. C'était un vrai cauchemar.

— Environ une semaine avant toi.

— Est-ce que ce bébé est… un accident ?

— Non, je ne crois pas. Lucy désirait beaucoup en avoir un.

La jeune femme croisa le regard de Ross, où se lisait un mélange de tristesse et de colère. Elle comprenait maintenant pourquoi il était si sûr que son frère refuserait de l'aider, et la raison de cette certitude l'accablait. Elle aurait préféré pouvoir continuer de penser à Andrew comme à un vulgaire coureur de jupons... A présent, il lui fallait affronter une réalité encore plus sordide : le père de son enfant était un être assez abject pour avoir couché avec elle à un moment où sa femme et lui essayaient de fonder une famille... Il avait ainsi engendré deux enfants en l'espace d'une semaine !

— Est-ce que... Lucy sait quel genre d'homme est son mari ? demanda Jennifer.

Ross tardant à répondre, elle eut le temps de se poser la même question, et fut bien obligée d'admettre que son intuition l'avait prévenue contre Andrew. Elle avait senti qu'il ne fallait pas lui faire entièrement confiance, et pourtant elle avait cédé à ses avances.

Ce n'était ni une excuse ni une consolation, mais elle n'aurait jamais renoué avec lui s'ils ne s'étaient revus juste avant les fêtes de fin d'année. A cette période, elle était très seule et déprimée car tous ses amis avaient quitté la ville pour aller passer Noël dans leur famille, et la perte récente de sa mère lui semblait plus douloureuse encore.

Sa rencontre avec Andrew, qui avait partagé une époque plus heureuse de son existence, l'avait agréablement surprise et, même si leur histoire ne lui laissait pas que de bons souvenirs, elle avait trouvé du réconfort dans sa présence. L'idée qu'il soit marié ne lui avait, bien sûr, pas traversé l'esprit, et encore moins celle que sa femme soit enceinte. Il avait profité de sa fragilité affective pour la séduire, et elle lui en voulait d'avoir menti, mais sans regretter d'avoir fait l'amour avec lui : l'enfant qui grandissait en elle était le plus beau cadeau que la vie puisse lui offrir.

— Je ne sais pas si Lucy connaît la face cachée d'Andrew, finit par déclarer Ross. Tout ce que je sais, c'est qu'elle l'aime.

— Tu crois que son amour résistera à l'annonce d'une liaison dont un enfant va naître une semaine après le sien ?

Les mâchoires serrées, le visage sombre, Ross ne répondit pas à une question que Jennifer avait d'ailleurs posée uniquement pour la forme : qui pouvait prévoir comment une autre personne réagirait en apprenant ce genre de nouvelle ? Elle eut cependant la nette impression que Ross aurait voulu épargner un traumatisme aussi douloureux à sa belle-sœur. C'était visiblement une femme qui lui inspirait de l'estime et de l'affection, et qu'il avait envie de protéger.

Cette Lucy avait bien de la chance !

— Je suis malgré tout décidée à mettre Andrew au courant de ma grossesse, reprit Jennifer. Tu as probablement raison : il refusera de m'aider, et sans doute même de reconnaître notre enfant, mais, s'il doit le faire, je veux que ce soit en me regardant droit dans les yeux.

Ross la fixa quelques instants sans rien dire, puis, comprenant qu'elle ne céderait, pas, il déclara d'un ton grave :

— D'accord, je vais l'appeler et lui demander de venir ici.

Ross s'enferma dans son bureau pour téléphoner à son frère. Il demeura ensuite un long moment assis derrière sa grande table de travail, réfléchissant à la façon dont il allait lui présenter les choses.

Le besoin qu'éprouvait Jennifer de parler à Andrew le surprenait. Il ne concevait pas qu'elle puisse trouver cette démarche utile et nécessaire, mais sans doute se trompait-il… Peut-être son frère saisirait-il cette chance de se comporter pour une fois en homme intègre et responsable.

Le connaissant, Ross en doutait, mais la situation était de toute façon si compliquée qu'il ne voyait lui-même aucune solution.

Il finit par soulever le combiné et, la pendule de la cheminée indiquant 18 h 30, composa le numéro du cabinet d'avocats dans l'espoir qu'Andrew y serait encore. Le répondeur s'enclencha au bout de cinq sonneries, et Ross dut se résigner à faire ce qu'il aurait justement voulu éviter : appeler Andrew chez lui, à Vancouver.

Comme il le redoutait, ce fut Lucy qui décrocha. En entendant sa voix douce et familière, il lui fallut fournir un gros effort pour prendre un ton normal. L'idée de savoir sur sa vie privée des choses qu'elle ignorait le mettait affreusement mal à l'aise.

— Bonjour, Lucy !

— Ah, c'est toi… Bonjour, Ross !

— Est-ce que tu vas bien ?

— Très bien.

Ross songea au moment où il avait posé les mains sur le ventre de Jennifer et senti son enfant bouger. C'était une expérience qui l'avait profondément ému, et qu'il n'avait jamais demandé à Lucy de lui faire connaître. Cela aurait enfreint les règles tacites qui régissaient désormais leurs rapports.

— Andrew est là ?

— Il vient d'arriver. Je vais le chercher.

De plus en plus nerveux, Ross meubla son attente en parcourant la pièce des yeux. Il prit ensuite un crayon, joua distraitement avec…

La voix de son frère retentit dans l'écouteur une minute plus tard. Après l'échange de banalités qui constituait d'habitude l'essentiel de leurs conversations, il passa au véritable motif de son appel :

— Il faut que je te voie.

— Maintenant ?

— Oui.

— Mais je rentre à peine !

— Je sais. Tu vas pourtant devoir ressortir.

— Pas tout de suite : Lucy a besoin de moi pour monter un meuble destiné à la chambre du bébé.

— Plus tard dans la soirée, alors !

— Bon, d'accord, je serai là vers 21 heures, mais qu'as-tu de si important à me dire ?

— Tu verras. A tout à l'heure.

Ross raccrocha, ferma les yeux et se massa les tempes. Un début de migraine, sans doute dû à la contrariété, commençait à les marteler. Il aurait voulu pouvoir rester en dehors de cette affaire. Il regrettait... Que regrettait-il le plus, d'ailleurs ? Que Jennifer se soit adressée à lui ? Qu'elle cherche un moyen de ne pas élever dans la solitude et le dénuement un enfant dont il était l'oncle ? Ou bien qu'elle ait renoué avec Andrew ?

L'honnêteté le forçait à admettre que c'était cette dernière idée la plus difficile à accepter.

Il n'y avait cependant rien à y faire, et le souvenir de la vague de tendresse qui l'avait submergé en sentant le bébé de Jennifer bouger sous ses doigts n'était pas loin de chasser la douloureuse pensée qu'Andrew en était le père.

Tiraillé entre ces émotions contradictoires, Ross souleva de nouveau le combiné pour appeler l'infirmière du dispensaire qui lui avait proposé d'aller le soir même au cinéma avec un groupe d'amis.

— Je suis désolé, Barbara, mais j'ai un empêchement de dernière minute.

— Il ne s'agit pas de ta mère, j'espère ?

— Non, elle va bien.

— Ah ! Dans ce cas, je sais pourquoi tu ne veux pas venir… Jackie a vendu la mèche.

— A propos de quoi ?

— Du fait que j'ai invité ma belle-sœur à nous accompagner, mais tu as tort : elle est très jolie. Je suis sûre qu'elle te plairait.

A en juger par les deux jeunes femmes que Barbara lui avait déjà présentées, c'était sans doute vrai. Elles étaient charmantes, mais il n'avait ressenti de véritable attirance ni pour l'une ni pour l'autre. Il n'en appréciait pas moins les efforts de son amie pour l'arracher à sa solitude. Depuis son divorce, quatre ans plus tôt, il avait trop tendance à se replier sur lui-même.

— Jackie ne m'a rien dit, déclara-t-il, et ta belle-sœur n'a rien à voir là-dedans. Je viendrais si je le pouvais, mais c'est vraiment impossible.

— Bon, je te crois… Et, quelle que soit la nature du problème, je te souhaite de le régler au plus vite.

Quand Ross regagna la cuisine, il trouva Jennifer assise, le dos calé contre le dossier de sa chaise et les pieds sur un tabouret.

— Andrew sera là vers 21 heures, annonça-t-il.

— Il a accepté de me parler ?

— Il ne sait pas encore pourquoi je lui ai demandé de venir.

— Tu craignais, s'il le savait, d'essuyer un refus ?

Ross ne répondit pas. Il alla prendre une pomme dans la corbeille de fruits posée sur le plan de travail et la coupa en tranches fines dans une assiette qu'il mit ensuite au milieu de la table.

— Sers-toi ! dit-il à Jennifer avant de s'installer en face d'elle.

Ils vidèrent l'assiette sans que leurs regards se croisent une seule fois. Celui de Ross évitait de s'arrêter sur le ventre de la jeune femme. Elle était enceinte de six mois, n'avait aucune famille et très peu d'argent... Il ne pouvait s'empêcher de la plaindre, mais elle n'avait sûrement aucune envie de sa pitié.

Jennifer, pendant ce temps, examinait le décor de la pièce, et Ross la vit soudain fixer une photographie de son père et de sa mère prise quelques années plus tôt.

— Comment vont tes parents ? demanda-t-elle.

C'était une question dictée par la simple politesse, et Ross aurait aimé pouvoir lui donner le genre de réponse qui convenait. Quelque chose du genre : « Ils vont bien, merci ». Au lieu de quoi, il déclara d'un ton laconique :

— Mon père est en excellente santé, mais ma mère vient de subir un double pontage coronarien.

— Elle a eu une crise cardiaque ?

— Oui, pendant une partie de tennis. Le SAMU est heureusement arrivé très vite.

Si Katherine Griffin avait toujours été mince et sportive, elle avait un tempérament anxieux et de mauvaises habitudes alimentaires. Ross n'avait pourtant rien vu venir, et il se le reprochait. Un emploi du temps trop chargé ne lui avait permis de rendre visite à ses parents qu'une seule fois au cours du mois qui avait précédé l'infarctus de sa mère.

— Quand a-t-elle été opérée ? s'enquit Jennifer.

— Il y a trois semaines. Elle est restée une dizaine de jours à l'hôpital.

— Elle ne court plus aucun danger ?

— C'est difficile à dire. L'intervention s'est bien passée, mais le cœur a subi des lésions dont il est impossible de mesurer l'étendue exacte.

Jennifer demeura silencieuse, l'air songeur, puis elle reprit :

— Le stress est mauvais pour elle, j'imagine ?

Le cardiologue avait en effet recommandé aux proches de Katherine de lui éviter tout souci pendant sa convalescence. Ils s'y étaient engagés, mais personne ne pouvait alors prévoir qu'Andrew allait avoir un enfant naturel...

— Oui, très mauvais, répondit Ross, et cela rend la situation encore plus compliquée.

— Je suis désolée. Le moment est spécialement mal choisi pour lui apprendre ce genre de nouvelle.

— Je ne veux pas te dissuader de parler à Andrew, mais, si tu as seulement besoin d'argent, en quoi le fait de l'obtenir de lui plutôt que de moi a-t-il une réelle importance ?

— Parce que ce n'est pas toi le père.

— Le résultat sera pourtant le même : tu n'auras plus de problèmes financiers.

— Un père est irremplaçable, et je ferai tout pour donner à mon enfant la possibilité d'entretenir des relations avec le sien. Aucune présence masculine dans mon entourage ne pourra jouer ce rôle, et la sécurité matérielle offerte par un parfait inconnu ne satisfait que l'un des besoins essentiels d'un être humain.

Ross était content de voir que la démarche de Jennifer n'était pas seulement motivée par l'argent, mais il ne comprenait pas pourquoi, sachant à présent Andrew marié, elle n'avait pas renoncé à l'intéresser au sort de leur enfant. Etait-ce du masochisme ? De l'entêtement pur et simple ? Ou bien l'aimait-elle malgré la manière dont il l'avait traitée, et voulait-elle tenter coûte que coûte de rester en contact avec lui ?

Ross essaya de trouver une solution qui permettrait à Andrew de nouer des liens avec son fils ou sa fille, mais sans y parvenir. Il aurait d'ailleurs fallu, pour commencer, qu'Andrew lui-même en ait envie et que Lucy l'accepte, ce qui semblait hautement improbable.

— Merci d'avoir appelé ton frère, dit Jennifer en se levant.

— De rien.

— Je vais aller dîner, maintenant. Je serai de retour un peu avant 21 heures.

— Où couches-tu ce soir ?

— Dans un motel de Beaverton.

Pensant qu'elle avait demandé l'hospitalité à d'anciens amis, Ross ne lui avait pas proposé de la loger, mais il en avait la possibilité : sa maison était grande. Il aurait sans doute été plus sage de garder ses distances avec elle, car l'attirance qu'elle lui inspirait autrefois n'était visiblement pas morte. Il n'avait cependant pas le cœur de la laisser passer la nuit seule dans un cadre déprimant après un entretien avec Andrew qui se révélerait sûrement éprouvant. Elle ne voulait pas de son argent, mais il pouvait au moins lui offrir un endroit agréable pour dormir, et peut-être même un soutien moral, le temps qu'elle décide de ce qu'elle allait faire.

— Tu as déjà réservé ? demanda-t-il.

— Non.

— Alors reste ici.

— C'est gentil, mais…

— Garde ton argent pour ton bébé, tu en auras besoin. Ça ne me dérange pas du tout de t'héberger. J'ai deux chambres d'amis, et je t'invite aussi à dîner : j'ai largement de quoi préparer un repas pour deux.

4.

Jennifer alla prendre dans sa voiture le strict nécessaire : ses affaires de toilette et une tenue de rechange. Elle s'était laissé convaincre de loger chez Ross, parce que cette solution lui permettait d'économiser cinquante dollars, mais il n'était pas question de s'installer : il lui faudrait dès le lendemain se mettre à la recherche d'un appartement.

La proposition de Ross ne signifiait pas qu'elle faisait désormais partie des gens qui pouvaient prétendre à son affection et à sa protection. C'était un geste élégant, mais qui reflétait au mieux le désir de rendre service à une ancienne connaissance.

La chambre qu'il lui donna était située à l'arrière de la maison, juste au-dessus de la cuisine. Une couette d'un bleu un peu plus soutenu que les murs recouvrait le lit à deux places, dont le bois portait la patine du temps. La lumière du soir baignait la pièce, et derrière la fenêtre s'étendait un jardin planté de vieux arbres et de parterres de fleurs.

Ce cadre était beaucoup plus agréable que celui d'une chambre de motel. Jennifer dut bien l'admettre.

Quand Ross l'eut quittée, elle alla se doucher dans la salle de bains attenante, qui communiquait aussi avec la deuxième chambre d'amis. Elle enfila ensuite ses vêtements propres et se sentit régénérée, comme si l'eau avait effacé la fatigue et l'angoisse en même temps que la poussière et la sueur du voyage.

Un rapide coup de peigne dans ses cheveux encore mouillés, et elle descendit rejoindre Ross dans la cuisine. Il était debout devant le plan de travail, en train de préparer des haricots verts. Couché dans un panier près de la porte du jardin, le chien leva la tête et remua la queue en voyant la jeune femme entrer.

— La douche t'a fait du bien ? demanda Ross.

— Un bien fou.

— Je me suis aperçu que je n'avais plus de sauce tomate… Il faut que j'aille en acheter à l'épicerie. Tu peux venir avec moi ou rester ici, c'est comme tu…

— Je viens avec toi.

Surprise elle-même de son empressement à accompagner Ross, comme si elle ne supportait pas l'idée de se séparer de lui, la jeune femme se dit ensuite que, Ross étant l'oncle de son enfant, il était normal qu'elle veuille passer le plus de temps possible avec lui, pour apprendre à mieux le connaître, car il avait forcément changé, en neuf ans.

Elle le suivit dans le vestibule, où il prit les clés du 4x4 avant de descendre avec elle les marches du perron. Il ne lui offrit pas son bras, néanmoins elle le sentait sur le qui-vive, prêt à la soutenir en cas de besoin. Ce n'était pas encore nécessaire, mais elle savait que le jour viendrait où sa mobilité serait réduite au point de l'empêcher de s'engager seule dans un escalier un peu raide.

Une fois installée dans la voiture, elle boucla sa ceinture et examina le badge du CHR de Portland posé sur la tablette du pare-brise. Le nom et la qualité de Ross y étaient inscrits, au-dessus d'une photographie qui datait manifestement de plusieurs années. Ses cheveux noirs étaient plus longs alors qu'aujourd'hui, il avait une expression hagarde et les yeux cernés. Ce cliché semblait avoir été pris au milieu de la nuit, pendant une garde épuisante.

Ross démarra, et Jennifer l'observa à la dérobée tandis que le 4x4 quittait la banlieue résidentielle et prenait la direction du centre-ville.

— Ton métier t'apporte les satisfactions que tu en attendais ? demanda-t-elle finalement.

— J'étais très idéaliste quand j'étais jeune, n'est-ce pas ? dit-il avec un sourire désabusé, comme s'il se rappelait leurs conversations d'autrefois.

— La réalité est différente ?

— Elle l'est toujours, surtout comparée aux rêves du garçon à peine sorti de l'adolescence que j'étais au début de mes études de médecine.

— Et comment est-elle ?

— Plus dure, et parfois plus ennuyeuse. C'est difficile à croire, mais une certaine routine s'installe même au service des urgences. Et je déteste la paperasse qu'engendre le moindre geste médical.

— Mais tu aimes soigner les gens ?

— Oui, et tout particulièrement au dispensaire que dirige mon ami Kyle.

— Où est-il situé ?

— Dans la vieille ville. Nous y recevons beaucoup de sans-abri, et aussi des personnes à faible revenu qui n'ont pas les moyens de consulter ailleurs.

A en juger par son ton neutre, Ross ne voulait pas que Jennifer s'extasie sur son engagement auprès des plus démunis, mais elle n'en était pas moins admirative : ainsi il était resté fidèle à ses idéaux de jeunesse.

— Où trouves-tu le temps de faire du bénévolat ? dit-elle alors que le 4x4 s'arrêtait devant une petite épicerie. Je croyais que les médecins travaillaient nuit et jour !

— C'était le cas quand j'étais interne, mais je ne passe plus maintenant que cinquante heures par semaine à l'hôpital, même si je dois en plus consacrer un certain nombre de mes soirées à écrire des articles et à me tenir au courant des avancées de la recherche dans mon domaine.

Ross expliqua ensuite comment s'organisait son service au CHR : il travaillait alternativement de jour et de nuit, prenant juste une pause entre les deux périodes pour permettre à son horloge interne de s'adapter au changement de rythme. Il sortait d'une série de gardes de nuit et avait donc quelques jours de congé devant lui.

Ils achetèrent la sauce tomate et, une fois de retour chez lui, Ross reprit ses préparatifs là où il les avait laissés. Une demi-heure plus tard, ils s'attablaient devant un repas de poulet, de pâtes et de haricots verts.

La conversation porta sur toutes sortes de sujets, mais, par une sorte d'accord tacite, ils évitèrent tout ce qui avait un rapport avec les bébés, les maris volages et les maladies graves.

Dans l'atmosphère chaleureuse et détendue qui régnait autour d'eux, Jennifer s'autorisa brièvement à imaginer que son bébé était le fruit de l'amour et connaîtrait la sécurité et la stabilité d'un vrai foyer. C'était l'avenir dont elle avait toujours rêvé — un avenir où elle serait mariée et vivrait dans une belle maison, choisirait avec son mari le moment de fonder une famille, partagerait avec lui les joies et les peurs de la grossesse, puis la lourde responsabilité que constituait l'éducation d'un enfant…

Mais il ne s'agissait là que de fantasmes : comme l'avait si bien dit Ross, la réalité était toujours différente, alors à quoi bon perdre son temps à caresser de vaines chimères moins d'une heure avant l'arrivée du père de son bébé, un homme marié et dont la femme était enceinte, elle aussi ?

Mieux valait essayer de profiter de ce repas pris en agréable compagnie, mais sans se faire d'illusions : c'était un simple répit, une brève incursion dans un genre de vie qui ne serait jamais le sien.

Neuf ans plus tôt

Quand Ross Griffin est arrivé pour passer chez lui les vacances d'été, je savais déjà tout sur lui.

Andrew l'a surnommé « M. Parfait ». Il paraît qu'il est membre d'une foule de mouvements associatifs, qu'il a toujours réussi ses examens avec mention, excelle dans tous les sports, parle deux langues étrangères, n'oublie pas de faire vidanger sa voiture tous les cinq mille kilomètres et ne laisse jamais de la vaisselle sale traîner dans l'évier...

J'ai l'impression surtout qu'Andrew est jaloux de son frère, mais qu'il l'admire secrètement et aimerait bien lui ressembler.

Molly et Heather m'ont dit que Ross était beau comme un dieu, mais les photos de lui qui remplissent la maison des Griffin ne m'ont pas particulièrement impressionnée. Je trouve Andrew plus séduisant, drôle et relax, alors que Ross me semble plutôt du genre prétentieux et coincé.

Nous étions sur la terrasse, Brian, Heather, Andrew et moi, quand Ross est revenu d'une expédition au supermarché avec M. et Mme Griffin. Il était déjà rentré à

Portland depuis deux jours, mais nos chemins ne s'étaient pas encore croisés.

Ils sont venus tous les trois nous dire bonjour, et j'ai voulu me lever, parce que j'étais assise sur les genoux d'Andrew et que ses parents risquaient de ne pas juger ça convenable, mais il m'a retenue. Et, même si j'étais très gênée, je n'allais pas le forcer à me lâcher !

Après avoir salué Brian et Heather, Ross s'est tourné vers moi et m'a tendu la main en déclarant :

— Jennifer, c'est ça ? Enchanté !

Je me suis demandé si tous les étudiants se serraient la main quand ils se rencontraient pour la première fois. C'est une chose à laquelle je ne suis pas habituée, du moins chez les personnes de moins de trente ans, et ça explique sans doute l'étrange pincement au creux de l'estomac que j'ai éprouvé, comme si j'avais mal calculé la distance du sol en franchissant le dernier barreau d'une échelle.

Il m'a donné une poignée de main franche et énergique, mais pas plus longue que nécessaire, et ce contact physique n'a pas eu l'air de l'émouvoir spécialement.

— Enchantée, lui ai-je dit d'un ton dégagé, censé cacher mon embarras.

Une conversation générale s'est ensuite engagée. J'ai posé à Ross quelques questions sur son voyage de retour, il m'a demandé où je vivais avant de venir habiter à Portland, puis Mme Griffin a rappelé à Andrew qu'il fallait fermer la porte grillagée pour empêcher les insectes d'entrer dans la maison — il l'avait laissée ouverte tout l'après-midi —, après quoi son mari et elle ont disparu à l'intérieur.

Ross s'est alors installé dans un des sièges de jardin high-tech que sa mère s'était fait envoyer d'Europe le mois dernier. Andrew et Brian se sont mis à parler de leur dernier jeu vidéo et, comme plus personne ne s'intéressait à moi, j'ai observé M. Parfait du coin de l'œil pour tenter de voir s'il était aussi arrogant que je le pensais.

— Ton deuxième semestre s'est bien passé ? lui a demandé Heather.

A la façon dont elle le regardait, j'ai tout de suite compris qu'elle avait le béguin pour lui. C'était tellement évident que je me suis sentie gênée pour elle, mais Ross n'a pas semblé s'en rendre compte et, en tout cas, il a fait comme si de rien n'était : il a aimablement répondu à toutes ses questions. Au bout d'un moment, j'ai quand même eu l'impression qu'il la considérait comme une écervelée, et j'ai trouvé ça injuste : Heather n'est peut-être pas une intellectuelle, mais elle est loin d'être bête et, en plus, c'est une chic fille.

J'ai fini par me mêler à leur discussion, parce que je commençais à me sentir exclue.

— Tu es étudiant en quoi ? ai-je demandé à Ross.

— En médecine ! s'est écriée Heather, l'air aussi fière que si c'était son futur mari.

Ross a froncé les sourcils, mais sans que je puisse savoir si c'était Heather, moi ou autre chose qui l'agaçait.

Quelques instants plus tard, il a interpellé son frère.

— Désolé d'interrompre ta conversation, Andrew, mais nous partons dans dix minutes.

— Où ça ?

— Chez grand-mère.

— Zut ! J'avais complètement oublié.

Surprise, je me suis tournée vers Andrew — j'étais toujours assise sur ses genoux —, et il a expliqué :

— On doit aller rendre visite à ma grand-mère. Maman lui a promis qu'on irait la voir cet après-midi, Ross et moi.

— Tu as juste le temps de monter te changer, lui a déclaré Ross avec un regard appuyé sur son T-shirt défraîchi et son caleçon de bain.

Il était, bien sûr, impeccablement habillé, lui, d'un pantalon gris et d'une chemise éclatante de blancheur.

— Il faut d'abord que je reconduise Jennifer chez elle, a annoncé Andrew.

Cette nouvelle n'a pas paru ravir son frère et, cette fois, j'ai eu le sentiment très net que c'était moi la cause de son irritation : par ma faute, il allait arriver chez sa grand-mère en retard sur l'horaire prévu.

— Je peux rentrer en bus, ai-je dit.

Andrew m'ayant lâchée pour consulter sa montre, je me suis levée. Ma proposition a eu l'air de le soulager. J'aurais préféré qu'il me raccompagne en voiture, parce que le trajet était beaucoup plus long en bus — sans compter que l'arrêt le plus proche m'obligeait à faire encore près d'un kilomètre à pied —, mais je ne voulais pas lui attirer d'ennuis.

— Ramène-la chez elle, a déclaré Ross en soupirant. Je vais appeler grand-mère pour la prévenir de notre retard.

— Merci, ai-je murmuré. C'est gentil.

Il s'agissait d'une simple formule de politesse, car le soupir qu'il avait poussé n'avait rien de « gentil ». Il était visiblement en colère contre moi.

— On y va, Andrew ? ai-je ajouté.

J'étais pressée de partir. Heather est montée dans la voiture de Brian, moi dans celle d'Andrew, et franchement, à ce moment-là, je n'avais pas vraiment hâte de revoir Ross.

Aujourd'hui

Un mauvais pressentiment tourmentait Andrew tandis qu'il se rendait chez son frère. Ce besoin urgent qu'avait Ross de lui parler ne lui disait rien de bon.

Arrivé à destination, il se gara devant un vieux break immatriculé en Californie, avec une autorisation de stationnement dans un quartier de San Francisco collée sur le pare-brise. Ces deux particularités ravivèrent ses souvenirs : il avait vu ce véhicule garé en bas de l'immeuble de Jennifer Burns six mois plus tôt, et il s'était demandé comment quelqu'un pouvait conduire un tel tas de ferraille.

Un coup d'œil par la vitre arrière lui révéla un habitacle bourré de cartons et d'objets de toutes sortes. Jennifer avait apparemment décidé de déménager, mais comptait-elle s'installer ici, à Portland, ou bien y faisait-elle une simple halte ?

Il fallait en tout cas espérer que ce n'était pas elle la raison de l'appel de Ross, songea Andrew. Et, si elle n'avait pas compris que leur nuit ensemble ne serait suivie d'aucune autre, elle allait être déçue ! Il aurait bien aimé renouveler l'expérience, mais cela aurait créé une foule de complications, et il détestait les complications.

Pour se rassurer, il se dit que Ross n'était pas du genre à encourager la reprise d'une liaison entre un homme marié et son ancienne maîtresse. Même s'il s'avérait que Jennifer était la cause de cette visite tardive, Ross devait donc l'avoir fait venir juste pour lui permettre de revoir une vieille amie. Il ignorait ce qui s'était passé à San Francisco en décembre dernier, sinon il n'aurait pas pu attendre tout ce temps pour le lui reprocher : il l'aurait sermonné au téléphone.

Devant l'expression sévère de son frère quand il lui ouvrit, Andrew se rendit compte de son erreur : Ross était au courant de sa petite aventure avec Jennifer.

Et zut ! pensa-t-il. Il était bon pour une leçon de morale de M. Parfait !

Ross recula pour le laisser passer, et un chihuahua s'élança vers la porte en courant sur trois pattes. Andrew le regarda d'un air dégoûté. Son frère avait recueilli un chien estropié… Cela lui ressemblait bien !

— Il est à toi ? demanda-t-il.

— Non, c'est celui de Kyle et de Melissa.

Les amis de Ross ennuyaient profondément Andrew. Il les évitait dans toute la mesure du possible et ne connaissait pas ceux-là, mais son frère en parlait souvent. Avec leur petite fille, ils paraissaient former le type même de la famille idéale, et pourtant il n'aurait pas été surpris de voir un jour l'un de ces deux époux modèles solliciter ses services pour une action en divorce. Il ne lui restait plus beaucoup d'illusions sur la nature humaine, et son expérience d'avocat lui avait notamment appris que l'amour ne résistait pas au quotidien.

— Alors, qu'as-tu de si important à me dire ? déclara-t-il.

— Il s'agit de Jennifer Burns.

— Oui, j'ai aperçu sa voiture dehors. Elle va bien ?

— Je te laisse juger par toi-même. Elle t'attend dans mon bureau.

5.

En voyant Andrew entrer dans la pièce de sa démarche assurée, avec sur les lèvres son éternel sourire suffisant, Jennifer se demanda comment elle avait pu céder à ses avances — neuf ans plus tôt, et de nouveau en décembre dernier. Les deux fois, il l'avait sauvée de la solitude, mais elle aurait dû faire preuve de plus de jugement et comprendre, même à l'âge fragile de l'adolescence, que le jeu n'en valait pas la chandelle.

Ross se tenait immobile sur le seuil, le front soucieux. Leurs regards se croisèrent, et la jeune femme essaya de lui transmettre un message silencieux : il n'avait pas à s'inquiéter, elle saurait gérer la situation.

Et c'était vrai : elle s'en sentait capable, parce que l'attitude d'Andrew lui permettait de prévoir la suite des événements.

Son message fut apparemment bien reçu, car Ross recula d'un pas et ferma la porte.

Jennifer s'était installée dans le fauteuil de cuir de Ross, derrière son grand bureau d'acajou. L'ordinateur portable ouvert et les rayonnages de livres de médecine qui couvraient deux des murs conféraient à la pièce une atmosphère studieuse. La personnalité de Ross y flottait comme une présence invisible qui, bizarrement, donnait du courage à Jennifer.

Andrew s'assit dans l'un des sièges les plus éloignés de la table et se cala contre le dossier. La cheville droite négligemment posée sur le genou gauche, les bras croisés, il avait l'air parfaitement calme et détendu.

Décidée malgré tout à lui offrir une chance de se conduire en honnête homme, la jeune femme inspira à fond, puis déclara :

— Tu dois être surpris.

L'espace qu'elle avait laissé entre le bureau et le fauteuil mettait son ventre bien en évidence, mais Andrew feignit de ne pas comprendre l'allusion.

— Comment vas-tu ? demanda-t-il d'un ton dégagé. Le voyage depuis la Californie a sûrement été long : je doute que ta vieille guimbarde dépasse les soixante kilomètres à l'heure !

Elle le fixa en silence. Il était exactement le même qu'en décembre dernier, avec ses cheveux un peu plus clairs que ceux de Ross, son beau visage aux traits réguliers, son costume impeccablement coupé, et pourtant il ne lui faisait aucun effet.

— Ce n'est pas pour discuter voitures que je suis ici, dit-elle.

— Ton état est le sujet du jour, j'imagine ?

— Oui.

— Alors parlons-en… Tu as beaucoup changé en peu de temps, mais la grossesse te va bien… De combien es-tu enceinte ? De cinq mois, cinq mois et demi ?

— De vingt-sept semaines.

— Quelle précision ! Mais j'oublie toujours à partir de quand on calcule ce genre de chose : il s'est passé vingt-sept semaines depuis tes dernières règles ou depuis la conception du bébé ?

Ignorant la question et la mention de ses règles, certainement destinée à la mettre mal à l'aise, Jennifer annonça :

— Ce bébé a été conçu le 22 décembre.

Il marqua un temps de silence, avant de demander :

— J'en serais donc le père, d'après toi ?

— Tu l'es.

— Tu en as la preuve ?

— Seule une analyse d'ADN pourrait l'apporter, mais cela nécessite une amniocentèse qui risque de provoquer un accouchement prématuré ou des lésions du fœtus.

— Si je comprends bien, tu refuses de t'y soumettre ?

— Oui.

— Je suis donc censé te croire sur parole ? observa Andrew.

Cette dénégation indirecte de sa paternité ne surprit pas Jennifer : elle s'y attendait. Mais elle fut peinée de voir Andrew réagir non en homme, mais en avocat. Il cherchait à l'intimider et, tout en s'obligeant à rester calme, elle décida de contre-attaquer :

— En ce qui me concerne, je n'ai pas l'habitude de mentir.

— Contrairement à moi, c'est ça que tu veux dire ?

— Oui. Tu m'as affirmé que tu n'étais pas marié, or je viens d'apprendre par ton frère que tu l'étais depuis plusieurs années.

— Je ne t'ai rien affirmé du tout ! Je me rappelle très bien cette conversation... Tu m'as demandé s'il y avait une autre femme dans ma vie, et je t'ai répondu : « Qui voudrait d'un type comme moi ? » Tu n'as pas approfondi la question, alors que tu l'aurais pu, et j'en ai déduit que tu n'avais pas vraiment envie de savoir ce qu'il en était.

— Tu te souviens mot pour mot d'une phrase que tu as prononcée il y a six mois ?

— Oui, et alors ?

Alors, cela signifiait, Jennifer le comprit, qu'il avait utilisé ce faux-fuyant pour séduire des femmes avant elle... ou après, ou les deux. Elle s'y était laissé prendre par naïveté : il lui avait semblé impossible qu'Andrew lui fasse du charme s'il avait une épouse ou une compagne. D'autres se contentaient sans doute de cette réponse parce que peu leur importait la vérité pourvu qu'elle demeure dans le domaine du non-dit.

— Un mensonge par omission reste un mensonge, souligna Jennifer. Et tu ne portais pas à San Francisco l'alliance que je vois aujourd'hui à ton doigt.

Andrew haussa les épaules.

— Ce n'est pas ma faute si tu en as tiré des conclusions hâtives, dit-il. A présent, je vais t'exposer la situation telle qu'elle apparaîtra à tout observateur impartial : tu soutiens que je suis le père de ton bébé, mais tu refuses d'en fournir la preuve, et tu sais pertinemment que, si elle l'apprend, ma femme risque de demander le divorce... Cela ressemble beaucoup à une tentative de chantage. Si ça se trouve, tu es enceinte d'un homme qui ne veut pas reconnaître l'enfant, tu prétends que je suis le père pour m'extorquer de l'argent et tu disparaîtras juste avant la naissance, pour éviter qu'on prélève une goutte du sang du bébé et qu'on prouve qu'il n'est pas de moi... Je ne t'accuse pas d'avoir monté une machination de ce genre, mais c'est une hypothèse tout à fait plausible.

La mauvaise foi d'Andrew révoltait Jennifer, et elle plaignait plus que jamais Lucy. Elle préférait encore sa propre situation à un mariage avec un homme comme lui. Le jour où Lucy découvrirait la véritable nature de son conjoint, elle regretterait amèrement de l'avoir épousé !

— Et, lorsque le test ADN prouvera que cet enfant est bien de toi, que feras-tu ? demanda Jennifer, résolue à forcer Andrew dans ses derniers retranchements.

— Si c'est le cas — ce dont je doute fort —, nous aviserons.

— Tu rempliras tes devoirs de père ?

Andrew la regarda comme si elle venait de dire une absurdité.

— C'est ce que tu veux ?

— Oui.

Pour la première fois depuis son arrivée, il eut l'air embarrassé. Il s'agita nerveusement sur son siège et déclara avec un petit rire contraint :

— Je pensais que Ross t'avait mise au courant... Ma femme est enceinte. Elle doit accoucher dans quelques mois, alors, si tant est que je sois le père de ton enfant, comment pourrais-je m'occuper de lui ?

Heureusement qu'elle était déjà informée de la grossesse de Lucy, songea Jennifer, sinon la façon brutale dont Andrew lui avait annoncé la nouvelle l'aurait anéantie.

— Quelle solution envisages-tu ? demanda-t-elle.

— Il faut que je réfléchisse. Pour l'instant, je suis sous le choc, mais, s'il s'avère que ton bébé est de moi, nous trouverons un arrangement qui...

— Arrête de tergiverser et réponds à ma question !

— Je ne compte prendre aucun engagement envers quelqu'un qui est peut-être en train de me duper.

— Tu éludes de nouveau le problème, et je suis sûre que, le moment venu, tu te déroberas à tes obligations.

— Tu me fais un procès d'intention !

— Explique-toi clairement, alors : assumeras-tu ou non ton rôle de père auprès de notre enfant ?

— Il y a un point qu'il me semble nécessaire de bien préciser : je déteste le chantage, et ton refus de te soumettre à un examen qui confirmerait tes dires rend ta démarche extrêmement suspecte. Et je te préviens : si tu tentes de me nuire en allant raconter tes histoires à ma femme, tu le paieras très cher !

Andrew s'interrompit le temps de consulter sa montre Rolex — celle-la même qui avait passé la nuit sur la table de chevet de Jennifer, six mois plus tôt.

— Il est tard, observa-t-il. Il faut que je rentre chez moi, mais je te conseille de ne prendre désormais aucune décision nous concernant, toi, ton bébé et moi, sans en avoir soigneusement pesé les conséquences.

Sur ces mots, il se leva et se dirigea vers la porte.

— J'en conclus que la réponse est non ? déclara la jeune femme d'une voix dont la fermeté la surprit elle-même.

— Au revoir, Jennifer, dit Andrew sans se retourner.

En entendant la porte du bureau s'ouvrir et se refermer, Ross quitta le séjour pour se rendre dans le vestibule. Il y trouva son frère, qui arborait son air assuré habituel, mais il le connaissait assez bien pour noter des signes de tension sur son visage — un regard fixe et une légère crispation des mâchoires.

— Alors ? demanda-t-il.

— Elle est enceinte, et ça lui va bien.

Ross attendit la suite.

— Elle prétend que je suis le père, mais c'est faux, reprit Andrew. Elle t'a affirmé la même chose, j'imagine ?

— En effet.

— Et tu l'as crue ?

Le seul moyen qui vint à l'esprit de Ross pour résister à l'envie de frapper son frère fut de se diriger vers la table du vestibule et d'ouvrir une lettre qu'il savait pourtant sans intérêt — le logo d'une société de vente par correspondance figurait sur l'enveloppe. Le fait d'interrompre une conversation importante pour lire son courrier était un type de comportement qu'Andrew adoptait souvent. Ross n'aimait pas se montrer grossier, mais il détestait encore plus la violence.

Il parcourut le prospectus et attendit pour le jeter dans la corbeille à papier d'avoir recouvré son sang-froid.

— Oui, je la crois, répondit-il alors.

Andrew garda le silence. Ross avait craint qu'il ne lui reproche de manquer de loyauté envers sa famille, de privilégier la parole d'une quasi-inconnue sur celle de son propre frère, mais sans doute comprenait-il lui-même le ridicule de telles accusations.

Et, à propos de loyauté, Andrew était-il au courant de ce qui s'était passé entre Jennifer et lui neuf ans plus tôt ? songea Ross. Parce que, à bien y réfléchir, il ne s'était pas conduit de manière beaucoup plus honnête que son frère, cet été-là... Et il ne se serait pas contenté d'un simple baiser si Jennifer ne l'avait arrêté...

— Que comptes-tu faire ? déclara-t-il.

— Rien. Ce bébé n'est pas de moi.

Ross secoua la tête, exaspéré, et Andrew grommela :

— Fiche-moi la paix !

Ces mots équivalaient à un aveu, même si ce n'était sûrement pas la signification qu'il avait voulu leur donner, et Ross sentit que ses relations avec lui ne seraient plus jamais les mêmes. Son frère venait de franchir une limite au-delà de laquelle il ne pouvait plus pratiquer la politique de l'autruche. Il avait jusque-là refusé de se mêler des affaires d'Andrew, fermant les yeux sur les secrets honteux dont il soupçonnait l'existence, mais ce n'était désormais plus possible.

— Et Lucy ? demanda-t-il.

— Quoi, Lucy ?

— Tu y as pensé ?

— Elle n'a aucun moyen de savoir que Jennifer est à Portland et pourquoi elle y est venue.

— Comment peux-tu en être sûr ?

— Elles n'appartiennent pas au même monde.

C'était vrai : Lucy avait de la fortune et, sans être snob, elle ne fréquentait pas les mêmes milieux que Jennifer. Dans des circonstances normales, les chances d'une rencontre entre les deux jeunes femmes auraient été pratiquement nulles.

— Je n'ai pas l'intention de te couvrir, annonça Ross.

— Est-ce une menace ?

— Prends-le comme tu veux.

— Je ne vois pas où est le problème, de toute façon : je suis tombé sur une camarade de lycée pendant un voyage d'affaires et je l'ai invitée au restaurant... Pourquoi Lucy s'en formaliserait-elle ?

Andrew avait donc déjà élaboré une stratégie de défense, comprit Ross. Si Lucy était informée de la démarche de Jennifer et exigeait des explications, il nierait tout et prétendrait seulement avoir croisé par hasard une vieille amie à San Francisco et avoir dîné avec elle. Il l'accuserait de vouloir lui faire endosser la paternité de l'enfant d'un autre, parce qu'elle le savait riche. Il soulignerait aussi qu'elle avait choisi pour cela le moment où son mensonge serait impossible à prouver : aucun médecin digne de ce nom ne pratiquerait une amniocentèse dans le seul but de lever un doute sur l'identité du père, alors qu'un examen très simple et sans risque permettrait d'obtenir le même résultat après la naissance.

— La réalité finira pourtant par te rattraper, observa Ross, et tu seras alors contraint de la regarder en face.

Reconnaître ses fautes — sans parler de les réparer — n'avait jamais été le fort d'Andrew et, dans le cas présent, il espérait probablement que les choses se régleraient d'elles-mêmes : Jennifer renoncerait à lui demander de l'aide et quitterait définitivement la ville. A moins que quelqu'un d'autre ne vienne résoudre le problème à sa place.

Quelqu'un comme son frère aîné.

Et il avait déjà essayé de le faire ! songea Ross. Il avait proposé à Jennifer de l'argent pour partir !

Andrew devait aussi penser que la mauvaise santé de leur mère le dissuaderait de parler à quiconque de son aventure avec Jennifer, et il avait raison : Ross ne pouvait pas prendre le risque de causer un deuxième infarctus à sa mère, même si cela le rendait complice des turpitudes de son frère.

Son silence équivaudrait à un mensonge vis-à-vis de Lucy, qui avait le droit de connaître la vérité sur son mari, mais il était très mal placé pour la lui dire. Elle le soupçonnerait de noirs desseins et refuserait de le croire. Ou bien, si elle le croyait, peut-être pardonnerait-elle à Andrew afin de préserver ce qui les liait et avait sans doute le plus d'importance à ses yeux : leur image de couple heureux, leur belle maison, leur standing.

Et le bébé qu'ils avaient, eux, la chance d'avoir conçu.

Celui qu'attendait Jennifer compliquait cependant la situation. Certains couples survivaient à une aventure extraconjugale avec une thérapie familiale et l'oubli que finit par apporter le temps. Mais, quand de l'adultère naissait un enfant, c'était autre chose... Non seulement il constituait le rappel concret et permanent de cette infidélité, mais il avait en plus besoin de la présence et de l'amour de son père.

Andrew semblant de toute façon résolu à ne jouer aucun rôle dans la vie de son fils ou de sa fille illégitime, la meilleure solution consistait sans doute à persuader Jennifer de garder le secret et de quitter Portland. Elle s'épargnerait ainsi bien des désillusions, Lucy ne verrait pas son bonheur d'être mère terni par la trahison de son mari, et Katherine Griffin pourrait poursuivre sereinement sa convalescence.

Le problème était que cette solution arrangerait aussi Andrew : elle lui permettrait de se soustraire à ses devoirs, et l'idée qu'il s'en tire à si bon compte déplaisait profondément à Ross. Ce ne serait pourtant pas la première fois que son frère aurait ainsi manqué à l'honneur en toute impunité.

Ross se demanda d'où lui venait cette soudaine amertume, pourquoi, après des années d'aveuglement volontaire face à l'immoralité de son cadet, il avait subitement envie qu'elle soit révélée au grand jour et qu'il en supporte les conséquences.

— Il est tard, je m'en vais, annonça ce dernier d'un ton impatient. Dis-moi juste quelque chose... Sais-tu combien de temps Jennifer compte rester à Portland ?

— Pourquoi ?

— Simple curiosité.

Le regard inquiet d'Andrew démentait ses paroles, mais Ross se borna à déclarer :

— Un certain temps.

— Mais encore ?

— Je ne sais pas. Elle ne m'a pas donné plus de précisions.

— Intéressant…

Cet étrange commentaire fit comprendre à Ross que, pour anxieux qu'il fût, Andrew voyait dans la situation une gageure que son charme et son intelligence pouvaient lui permettre de réussir. Tel un alpiniste s'attaquant à une ascension périlleuse, il aimait la décharge d'adrénaline provoquée par le sentiment de vivre dangereusement.

Et le pire était qu'il allait peut-être sortir vainqueur, et sans dommage, de ce qu'il était certainement le seul à considérer comme un jeu excitant.

Ross attendit que la voiture d'Andrew se soit éloignée pour rejoindre Jennifer dans le bureau. Elle n'avait pas bougé de son siège et, comme elle ne semblait pas décidée à parler la première, il demanda :

— Ça va ?

— Oui, répondit-elle en se levant.

Ses joues ne portaient pas les traces de larmes qu'il pensait y découvrir. L'expression de son visage était moins triste que déterminée.

— Tu avais raison, reprit-elle.

— Mon frère n'a aucun sens moral.

— J'aurais dû m'en douter.

— Il a nié avoir eu une aventure avec toi.

— J'en étais sûre.

— Je ne cherche pas à l'excuser, mais il a des intérêts à protéger.

— Nous en avons tous.

— Il refuse cependant d'admettre qu'il est trop tard.

— L'avenir se chargera de le rappeler à l'ordre, mais, dans l'immédiat, je suis épuisée… Je vais me coucher.

Une fois dans sa chambre, Jennifer s'assit sur le lit et s'examina dans le miroir de la coiffeuse placée contre le mur opposé. Elle se vit alors telle qu'Andrew avait dû la voir : comme une menace.

La femme au gros ventre, aux yeux cernés et aux vêtements bon marché qui se reflétait dans la glace était pour un homme la réalisation de son pire cauchemar : l'irruption dans sa vie d'une ancienne maîtresse enceinte qui venait lui réclamer des comptes.

« Personne ne peut résister à un bébé. »

Ces paroles prononcées par sa mère remontèrent soudain à la mémoire de Jennifer. Andrea Burns les avait dites un jour à une amie, en regrettant d'avoir laissé passer plusieurs années avant de présenter Jennifer à son père. « Personne ne peut résister à un bébé, pas même un homme comme lui », avaient été ses mots exacts.

Jennifer s'était souvent demandé ce que recouvrait l'expression « un homme comme lui ». Après avoir compris qu'Andrew lui avait donné un faux numéro de téléphone, elle l'avait soupçonné de ressembler à son père. Maintenant, elle en était sûre.

« Personne ne peut résister à un bébé »... Mais une femme enceinte n'était pas un bébé. Loin d'émouvoir, elle faisait peur.

Si Jennifer n'avait pas été chassée de son appartement, si elle n'avait pas eu toutes ces dettes à rembourser, elle aurait pu se permettre d'attendre quelques mois et de rendre visite à Andrew avec dans les bras un bébé souriant et gazouillant qui aurait immédiatement conquis son cœur.

Sauf qu'un facteur imprévu aurait alors empêché la théorie d'Andrea Burns de s'appliquer : la femme d'Andrew lui aurait déjà donné un enfant, sur lequel il aurait concentré tout l'amour paternel dont il était capable.

La jeune femme essaya d'imaginer la scène. Elle était assise dans le bureau de Ross, son bébé sur les genoux. Andrew entrait, et elle lui disait : « Voici le fruit de nos amours. » Il la fixait d'un air dur et déclarait froidement qu'il ne la croyait pas : si c'était vrai, elle serait venue le voir bien avant — au tout début de sa grossesse.

Là aussi, il aurait tenté de fuir ses responsabilités, et mieux valait finalement affronter tout de suite la triste réalité plutôt que d'entretenir de faux espoirs pendant des semaines et des semaines.

Décidée à ne plus s'apitoyer sur son sort, Jennifer se leva et enfila le grand T-shirt qui lui servait de chemise de nuit. Le passé était le passé. Il fallait maintenant songer à l'avenir.

Allongé dans son lit, les mains derrière la tête, Ross écoutait les bruits familiers de la nuit — le craquement d'une latte de plancher, le tic-tac de la pendule héritée de sa grand-mère, le grondement épisodique d'une voiture, dehors... L'avenue était bien éclairée, et les stores vénitiens laissaient entrer juste assez de lumière pour qu'il distingue les contours des meubles et des objets qui décoraient la pièce.

Le fait de loger Jennifer chez lui, de la savoir endormie dans une chambre toute proche, lui donnait de sa maison une perception inhabituelle. Elle lui semblait trop grande pour une seule personne, même s'il n'était pas seul quand il l'avait achetée, même s'il pensait en outre, à cette époque, que des enfants viendraient bientôt la remplir.

Peut-être devrait-il déménager dans un appartement du centre-ville, se dit-il. Accepter l'inévitable. Se résigner au mauvais coup que le sort lui avait réservé.

Pourrait-il s'y résoudre ? Sans doute pas. Il aimait cette maison, et le fait qu'elle soit grande lui permettait de recevoir des invités qui rompaient sa solitude.

La hâte qu'il avait de retrouver Jennifer le lendemain matin l'obligeait cependant à admettre qu'elle n'était pas une invitée comme les autres : le simple plaisir d'avoir quelqu'un en face de lui à la table du petit déjeuner ne suffisait pas à expliquer son impatience de voir le jour se lever.

Il se rappela que Jennifer n'avait pas prévu de passer plus d'une nuit sous son toit. Un séjour prolongé aurait été source de complications car, pas plus qu'autrefois, il n'avait le droit de céder à son attirance pour elle.

Même si, comme son frère l'avait prouvé à maintes reprises, il n'existait pas d'interdits qui ne puissent être transgressés.

6

Neuf ans plus tôt

Je n'ai rien d'un rabat-joie puritain et coincé, mais je n'en trouve pas moins consternante la façon dont Andrew et sa bande d'amis passent leurs journées. Ils se lèvent à midi, regardent MTV pendant des heures, traînassent au bord de la piscine, puis font la fête toute la nuit. Ils ne pensent qu'à s'amuser.

Et sa nouvelle petite amie… C'est au moins la troisième blonde prénommée Jennifer avec qui il sort depuis un an et demi… J'aimerais, juste une fois, qu'il ramène à la maison une brune prénommée Roberta ou Phuong-mai, pour changer. Je dois cependant reconnaître que cette Jennifer-là se révèle nettement moins insignifiante que les autres. Elle est même trop bien pour Andrew.

J'ai conscience de le juger sévèrement, mais il y a des moments où il me met vraiment hors de moi. Il ne tient jamais ses engagements ! La semaine dernière, par exemple, il avait accepté de m'aider à changer un meuble de place chez tante Lenora le samedi suivant et, le jour dit, quand je lui ai demandé de m'accompagner, il m'a déclaré :

— On le fera demain. Kurt a décidé à la dernière minute d'organiser une soirée chez lui, et il m'a chargé d'acheter la bière. Je dois m'en occuper tout de suite. Lenora ne rentre de l'hôpital que demain, de toute façon.

Notre tante s'est cassé la cheville, et il fallait transporter son lit au rez-de-chaussée pour qu'elle n'ait pas à monter et à descendre l'escalier avec son plâtre.

— Je ne suis pas libre demain, ai-je expliqué à Andrew. Je travaille.

Je remplace au CHR un infirmier parti en vacances, et j'aurais en fait pu effectuer ce déménagement entre midi et 13 heures, mais, la ponctualité n'étant pas le fort d'Andrew, je ne voulais pas risquer de perdre mon emploi en revenant en retard de ma pause déjeuner.

— C'est toi qui as proposé de rendre ce service, pas moi ! a répliqué Andrew. Et je ne t'ai rien promis : j'ai juste dit que je t'aiderais si j'en avais le temps.

Comme il pleuvait, sa petite amie et lui se sont installés dans la cuisine. Jennifer ne semblait prêter aucune attention à la conversation. Elle était plongée dans un article de revue qui, à en juger par les illustrations, portait sur les insectes de la forêt amazonienne.

« Elle sait donc lire ! » ai-je pensé… avant de me reprocher ma méchanceté.

— Tant pis, je vais tâcher de me débrouiller tout seul, ai-je annoncé.

Je suis sorti de la pièce, et j'étais en train d'enfiler mon K-Way dans l'entrée quand Jennifer est venue me parler.

— Je peux t'aider, si tu veux, m'a-t-elle dit, à condition que tu me reconduises chez moi après, sinon il faut que je prenne le bus maintenant.

— Tu ne vas pas à la soirée de Kurt ? ai-je demandé, surpris.

— Non. Je dois aller travailler.

— D'accord, je te ramènerai chez toi. Où habites-tu ?

L'adresse qu'elle m'a donnée ne se situe pas très loin du domicile de Lenora, quoique dans un quartier différent — pas le plus chic de la ville, mais pas le pire non plus.

— Et où travailles-tu ? ai-je ensuite questionné.

— Dans un magasin du centre-ville, le Beauty Barn. Je suis vendeuse, c'est pour ça que je dois repasser à la maison : il faut que je me change.

Jennifer est retournée dans la cuisine pour dire au revoir à Andrew, puis elle m'a rejointe. Elle ne portait qu'un jean et un T-shirt, et il pleuvait de plus en plus fort, dehors…

— Tu n'as pas de parapluie ? ai-je observé.

— Non, il faisait beau quand je suis venue et, de toute façon, les habitants de l'Oregon mettent un point d'honneur à ne jamais se servir d'un parapluie, n'est-ce pas ?

C'était vrai, mais j'en ai tout de même pris un dans le placard de l'entrée, et nous nous sommes serrés dessous pour aller jusqu'à la voiture.

— Quel genre d'articles trouve-t-on au Beauty Barn ? ai-je demandé après avoir démarré.

— Des produits de beauté démarqués.

— Et il est ouvert le soir ?

— Le samedi jusqu'à minuit, et jusqu'à 22 heures les autres jours.

Il y avait beaucoup de circulation, et nous avions à peine roulé cinq minutes lorsque nous nous sommes retrouvés coincés dans un embouteillage. Nous étions arrêtés à un carrefour, et le feu ne cessait de passer du rouge au vert sans que les voitures, devant nous, ne puissent avancer.

J'ai vu soudain Jennifer fouiller dans son sac à main, puis sortir de son portefeuille un billet de cinq dollars.

— Je reviens tout de suite, a-t-elle déclaré.

La seconde d'après, elle avait ouvert sa portière et se dirigeait vers le trottoir sans se soucier de la pluie qui tombait à verse. Je l'ai suivie des yeux, et j'ai alors aperçu une gamine d'une dizaine d'années debout près d'un seau rempli de fleurs, les cheveux et les vêtements dégoulinant d'eau.

Avant que Jennifer ne l'ait rejointe, elle a pris quelques bouquets et s'est glissée entre les véhicules pour les proposer aux conducteurs. Personne n'a daigné baisser sa vitre, mais Jennifer l'a rattrapée et lui a acheté un bouquet en disant quelque chose qui a amené un grand sourire sur le visage de la fillette. Elle est ensuite remontée dans la voiture et a tranquillement remis sa ceinture.

— J'ai pensé que Lenora serait contente de trouver des fleurs chez elle à son retour de l'hôpital, m'a-t-elle expliqué.

J'ai eu l'impression que ce n'était pas la véritable raison de son emplette : pourquoi aurait-elle eu ce genre d'attention pour une parfaite étrangère ?

— C'est très gentil de ta part, ai-je observé, et cette gamine fait vraiment pitié.

— Oui. J'espère que je ne suis ni sa première ni sa dernière cliente de la journée.

Ce commentaire m'a confirmé ce dont je me doutais déjà : elle avait acheté ces fleurs juste pour éviter à cette gosse d'avoir passé des heures sous la pluie sans vendre un seul bouquet. C'était un geste de pure générosité, et d'autant plus méritoire que cinq dollars ne représentaient sûrement pas une petite somme pour elle.

C'est là que, pour la première fois, j'ai commencé à me dire qu'elle était peut-être différente des anciennes petites amies d'Andrew. Je me suis également reproché de ne pas avoir songé à acheter des fleurs pour ma tante, aussi ai-je déclaré pendant que la file, devant nous, avançait enfin :

— Je vais te rembourser.

— Ce n'est pas la peine.

— Si, j'insiste...

Elle s'est murée dans le silence, et j'ai compris que je l'avais blessée : elle avait perçu sous ma proposition le désir de lui épargner une dépense que je jugeais trop élevée pour son maigre budget. Ce doit être difficile pour elle de voir Andrew et tous ses amis jeter sans cesse l'argent par les fenêtres...

Une fois à destination, je me suis garé dans la contre-allée et j'ai fait le tour de la voiture avec le parapluie pour aller ouvrir la portière à Jennifer. C'était un peu tard : les quelques minutes qu'elle avait passées dehors l'avaient trempée jusqu'aux os. Son T-shirt bleu clair moulait des formes que je me suis efforcé de ne pas regarder, malgré la tentation. Elle est mignonne, ai-je songé alors, mais sans plus, et je pensais à ce moment-là que, pour sortir avec Andrew, elle ne devait pas avoir grand-chose dans la cervelle...

Après m'avoir précédé dans la maison de sa tante, Ross s'est dirigé vers l'escalier sans même se retourner pour savoir si j'avais refermé la porte.

C'est une maison tout en hauteur, pas très grande mais vraiment super. Il y a des meubles de tous les styles, depuis une armoire ancienne qui aurait eu sa place dans un musée jusqu'à un assortiment de poufs multicolores très années soixante-dix. Et ce mélange, loin de paraître discordant, donnait une agréable impression de chaleur et de gaieté.

— Si tu as froid, m'a dit Ross par-dessus son épaule, tu trouveras sûrement quelque chose de chaud dans le placard du vestibule. Lenora ne t'en voudra pas de le lui avoir emprunté.

Mon T-shirt mouillé me collait à la peau, et je commençais à regretter l'impulsion qui m'avait fait sortir de la voiture pour acheter ces fleurs. J'aurais pu me promener toute nue que Ross n'y aurait pas prêté attention, mais j'étais quand même gênée.

Le placard de l'entrée était rempli de vestes, de manteaux et de lainages dont aucun ne correspondait à mon style. J'ai finalement choisi ce qui m'a paru le plus seyant : un gilet noir à gros boutons dorés. Il était trop grand pour moi, mais j'ai roulé les manches et je suis allée rejoindre Ross au premier étage.

Le lit de sa tante était très lourd. Nous avons d'abord transporté le sommier, et heureusement que nous étions deux : jamais Ross n'aurait pu le manœuvrer seul dans un escalier aussi raide. Nous sommes ensuite remontés chercher le matelas, puis nous avons bougé quelques meubles dans le séjour pour faire de la place. Toute l'opération ne nous a pas pris plus de vingt minutes et, une fois le lit installé, j'ai demandé à Ross s'il ne fallait pas également descendre au rez-de-chaussée une réserve de vêtements pour sa tante.

— Je n'aime pas trop l'idée de fouiller dans ses affaires, m'a-t-il répondu. Mieux vaut laisser une de ses amies s'en occuper.

Il m'a ensuite regardée droit dans les yeux et il a ajouté :

— Merci de ton aide.

C'était la première fois qu'il me parlait comme à une égale, et j'ai rougi, ce qui ne s'était pas produit depuis des mois — depuis qu'Andrew et ses copains m'avaient intégrée dans leur bande.

J'ai été étonnée de ma réaction : j'étais mal à l'aise avec Ross quand il avait l'air de me mépriser et, lorsqu'il a changé d'attitude envers moi, je me suis sentie encore plus mal à l'aise, mais d'une façon différente, difficile à définir. Il semblait très reconnaissant du coup de main que je lui avais donné, alors que ce n'était vraiment pas grand-chose. Si je ne lui avais pas rendu ce service, en plus, j'aurais été obligée de rentrer en bus, et je serais arrivée à la maison encore plus mouillée que je ne l'étais déjà.

— Dans combien de temps dois-tu être au Beauty Barn ? a-t-il demandé.

— Dans une heure. Tu es toujours d'accord pour me reconduire chez moi ?

— Bien sûr !

Il est allé chercher un vase pour les fleurs, et je les ai mises sur la table du vestibule. C'était un bouquet très simple, dans les tons jaunes et bleus, mais j'ai eu le sentiment qu'il plairait à Lenora. Son intérieur disait qu'elle n'était pas du genre à juger les choses d'après le prix qu'elles avaient coûté.

Ross n'a pas eu à me redemander mon adresse : il s'en souvenait et, je ne sais trop pourquoi, ça m'a touchée.

Quand il s'est garé devant l'immeuble et a coupé le moteur, j'avais déjà enlevé le gilet de sa tante et je l'avais posé sur la banquette arrière.

Je m'apprêtais à le remercier et à partir quand il m'a déclaré :

— Va te changer, et je t'emmènerai ensuite à ton travail.

Cette proposition m'a embarrassée : il avait peut-être l'intention de monter avec moi, et je ne le voulais pas. Nous habitons au troisième sans ascenseur, dans un petit deux pièces triste et sombre. Quand nous y avons emménagé, ma mère a insisté pour que je prenne l'unique chambre, ce qui l'oblige à dormir dans le canapé-lit du séjour. L'appartement est toujours propre et bien rangé, naturellement, mais il témoigne d'une gêne financière que je préfère cacher, et je n'y invite jamais personne.

Je m'étais cependant inquiétée pour rien : Ross m'a tendu le parapluie en disant qu'il m'attendait là.

Dix minutes plus tard, je suis remontée dans la voiture, vêtue du chemisier de coton blanc que toutes les vendeuses du Beauty Barn devaient porter. S'y ajoutent un tablier rouge orné du logo du magasin et un badge en forme de flacon de parfum avec mon prénom inscrit dessus, mais il y a heureusement dans l'arrière-boutique des casiers où les laisser : je me voyais mal me promener dans la rue dans une tenue aussi ridicule !

J'ai donné l'adresse à Ross, et nous sommes arrivés à destination avec une demi-heure d'avance. Je pensais qu'il allait juste me déposer, mais il me réservait une nouvelle surprise.

— Tu n'as pas dîné, a-t-il remarqué.

— Non, mais j'ai pris chez moi une pomme et un paquet de biscuits. J'avais peur de ne pas avoir le temps de me préparer un repas plus consistant.

— Je vais t'acheter un sandwich. Il y a un excellent traiteur à quelques rues d'ici.

— Ce n'est pas la peine.

Mais il a ignoré ma protestation et, quand j'ai attaqué le sandwich à la tomate, à la mozzarella et au basilic qu'il m'avait choisi, je m'en suis félicitée : c'était absolument délicieux. Il mangeait sûrement d'aussi bonnes choses tous les jours, mais pas moi, et j'en ai savouré chaque bouchée.

— Ta mère était à la maison ? m'a-t-il demandé lorsque j'ai eu tout avalé.

— Non. Elle sort de son travail à la même heure que moi.

— Elle passera te prendre ?

— Oui.

— Tant mieux, parce qu'il est dangereux pour une fille de ton âge d'attendre le bus au milieu de la nuit.

— Je l'ai déjà fait, pourtant.

Puis, comme Ross me jetait un regard inquiet, j'ai souligné :

— Quand on n'a les moyens ni d'habiter dans les beaux quartiers, ni d'avoir une deuxième voiture, on n'a pas le choix : on accepte les contraintes et les risques que l'argent permet aux riches d'éviter.

De soucieuse son expression est devenue perplexe. Il m'a fixée quelques instants en silence avant d'observer :

— J'ai du mal à comprendre… Tu m'as l'air d'une fille bien, alors pourquoi traînes-tu avec mon frère et sa bande de lobotomisés ?

J'ai trouvé ce jugement sévère, mais il y a des moments où je ne suis pas loin de penser la même chose, où les copains d'Andrew m'agacent — même Heather. Ils n'ont qu'un but dans la vie, faire la fête. Je ne suis pas contre, mais ils m'énervent, parfois, avec leur nombrilisme et leur futilité.

Et, comme je ne voulais pas avouer à M. Parfait qu'il avait raison de critiquer mes choix, j'ai répondu :

— Je les aime bien. Ils sont amusants.

— Tu vaux mieux que ça, et tu nies ce que tu es en t'abaissant à leur niveau.

Là encore, j'ai dû admettre intérieurement que c'était vrai. Quand je suis avec eux, il y a beaucoup de choses dont je m'interdis de parler de peur qu'ils ne me traitent d'intellectuelle et ne me rejettent. Je suis trop contente de me sentir enfin acceptée. Il me faut pour cela affirmer comme eux que je déteste l'école et que les grands sujets de société me laissent indifférente, mais c'est le prix à payer pour faire partie de leur clan.

— Pourquoi resterais-je seule chez moi à lire *Le Zéro et l'Infini* et à me poser des questions existentielles, alors que je peux prendre du bon temps ? ai-je répliqué.

Je me suis rendu compte, mais trop tard, qu'en cherchant à contredire Ross, j'avais en fait apporté de l'eau à son moulin, car il connaissait ce titre. Je croyais pourtant pouvoir le mentionner sans risque : personne, dans mon entourage, n'en avait jusqu'ici entendu parler.

— Arthur Koestler est au programme de ton cours de littérature ? a-t-il en effet demandé.

— Non. Je lis ce roman parce qu'il m'a semblé intéressant.

— Vraiment ? Et qu'en penses-tu ?

— C'est le livre le plus déprimant que j'aie jamais lu, mais je le trouve aussi...

Je n'ai pas terminé ma phrase. J'avais déjà commis une erreur, et je ne voulais pas donner encore plus raison à Ross en me laissant entraîner dans une discussion politico-philosophique. J'étais curieuse d'avoir son avis sur cet ouvrage, mais j'ai préféré me taire. Il n'a cependant pas eu besoin que je lui demande son opinion pour me la donner :

— J'ai lu *Le Zéro et l'Infini* avant la chute du mur de Berlin — contrairement à toi, j'imagine —, et la description d'un régime totalitaire effraie beaucoup plus quand il est encore fermement en place.

L'envie m'a prise de rétorquer que je n'étais pas d'accord. Je suis peut-être plus jeune que lui, mais ça ne m'empêche pas de comprendre l'effet qu'a pu avoir ce roman à l'époque où l'Union soviétique représentait une menace pour les démocraties occidentales.

Malgré ma décision de refuser tout débat d'idées avec Ross, j'ai failli céder à la tentation, et puis j'ai surpris une lueur d'amusement dans ses yeux. Sa remarque était uniquement destinée à me faire réagir, et j'avais été bien près de tomber dans le piège !

— Il faut que j'aille travailler, ai-je dit. Ramène-moi au Beauty Barn.

Il a souri, et je ne sais toujours pas si je suis contente ou mécontente qu'il ne me considère plus comme une gamine superficielle et sans intérêt.

7.

Quand Jennifer descendit au rez-de-chaussée, le lendemain matin, elle vit par la porte ouverte du bureau Ross occupé à taper quelque chose sur son ordinateur. Il s'arrêta en l'apercevant, et ses yeux noirs la fixèrent avec une intensité déroutante.

— Tu as bien dormi ? demanda-t-il.

— Non, pas très bien, avoua-t-elle. Le bébé a beaucoup bougé, et les incertitudes de l'avenir m'ont aussi tenue longtemps éveillée.

— Va manger, tu te sentiras mieux après. Il y a des œufs, des céréales, du pain… Prends ce que tu veux. Je te rejoins dès que j'ai fini mon e-mail.

La jeune femme se rendit dans la cuisine, où le chien l'accueillit avec de grandes démonstrations de joie. Elle le caressa un moment avant d'ouvrir le réfrigérateur et d'en sortir une boîte d'œufs.

— Excellent choix ! s'écria Ross, derrière elle. Les protéines sont l'un des éléments les plus importants du régime d'une femme enceinte.

— Tu as déjà envoyé ton e-mail ? observa-t-elle en se retournant.

— Non, mais il peut attendre. Je nous prépare une omelette ?

— Je m'en occupe.

Pendant que Jennifer s'activait aux fourneaux, Ross mit du café à passer, puis ils s'attablèrent l'un en face de l'autre, Frank couché entre eux.

— Quels sont tes projets ? déclara Ross.

— Il faut avant tout que je trouve un logement.

« En attendant de voir si Andrew se décide finalement à assumer ses responsabilités », ajouta-t-elle intérieurement.

Ross resta silencieux, comme s'il se demandait sans oser le dire pourquoi elle ne retournait pas à San Francisco pour y reprendre son ancienne existence, et revenir à Portland dans deux ou trois ans. Andrew aurait alors peut-être acquis la maturité dont il manquait actuellement pour remplir ses devoirs envers elle et leur enfant.

En réalité, ce qui la dissuadait d'adopter cette ligne de conduite, c'était l'expérience de sa mère. Andrea Burns l'avait essayée, et cela n'avait pas marché. Jennifer l'avait souvent entendue regretter d'avoir laissé son père les ignorer toutes les deux pendant si longtemps qu'il avait fini par se construire une vie où elles n'avaient aucune place.

— Je n'ai pas encore renoncé à faire admettre sa paternité à Andrew, se borna-t-elle cependant à déclarer.

— Et s'il s'obstine à la nier ?

— Il sera contraint de la reconnaître dans quelques mois.

— Sans doute, mais sera-t-il prêt pour autant à s'acquitter de ses obligations ?

— Je ne peux pas répondre à cette question. La situation est très compliquée, et j'ai passé la moitié de la nuit à chercher une solution satisfaisante, sans en trouver aucune. Mais les faits sont les faits, et rien ni personne n'a le pouvoir de les changer : je suis enceinte d'Andrew, que cela lui plaise ou non. Je compte limiter nos futures relations au strict nécessaire, mais un enfant a besoin d'un père, et il est de mon devoir de tout faire pour éviter que le mien en soit privé.

— Qu'attends-tu exactement de mon frère ?

— Une aide financière pour que mon bébé grandisse dans de bonnes conditions matérielles, et la promesse d'avoir avec lui des contacts réguliers. Je sais qu'Andrew n'aura pas beaucoup de temps à lui consacrer, mais je veux que cet enfant connaisse son père, se sente aimé de lui en dépit des circonstances et ait quelqu'un vers qui se tourner en cas de nécessité.

Tout en parlant, Jennifer s'était levée et avait entrepris de débarrasser la table. Il lui fallait bouger pour trouver un dérivatif à son angoisse, même si ses gestes brusques trahissaient sa nervosité.

— Tu as dit tout cela à Andrew ? demanda Ross.

— Il ne m'en a pas laissé la possibilité, mais je ne me contenterai pas de moins, et j'espère, pour le bien de mon bébé, qu'il sera disposé à en offrir plus.

— Et s'il refuse ?

— C'est ce qui arrivera, à ton avis ?

— Je l'ignore, mais je n'en serais pas autrement surpris... Que feras-tu, dans ce cas ?

— J'avoue ne pas y avoir encore réfléchi.

— Tu mettras Lucy au courant ?

— Non, elle n'est pour rien dans cette affaire. Révéler l'infidélité d'Andrew à sa femme serait une façon de me venger de lui et m'apporterait peut-être une certaine satisfaction, mais je ne veux pas faire de mal à une innocente, et cela vaut également pour ta mère, surtout maintenant que je la sais fragile du cœur.

Ross parut soulagé. Jennifer revint s'asseoir en face de lui et souligna :

— Je n'en suis pas moins décidée à rester à Portland.

— Oui, j'ai bien compris... Comment comptes-tu t'y prendre pour trouver un logement ? Par l'intermédiaire d'une agence ?

— Non, leurs services sont trop chers. Je préfère consulter les petites annonces. Tu es abonné au journal local ?

— Oui. Je vais te chercher celui de ce matin.

Après avoir apporté le journal à Jennifer, Ross retourna dans son bureau, et la jeune femme parcourut la page immobilière. Même si le prix des locations était moins élevé à Portland qu'à San Francisco, il n'y avait pas beaucoup d'appartements dans la fourchette qu'elle s'était fixée. Certaines annonces donnaient l'adresse complète, d'autres seulement le quartier. Elle entoura celles qui l'intéressaient, puis alla rejoindre Ross.

— Je peux me servir de ton téléphone ? demanda-t-elle.

— Bien sûr, mais montre-moi d'abord tes choix. Je te dirai ce qui me paraît le mieux.

Elle obéit, et l'expression de Ross quand il eut fini sa lecture valait tous les commentaires.

— Ce sont les seuls qui sont dans mes moyens, souligna-t-elle.

— Mais ils sont très mal situés.

— Je le sais.

— Tu veux que je t'accompagne ?

— Merci, mais ce n'est pas la peine. Je partirai dans une petite demi-heure, quand j'aurai terminé ma série d'appels.

— Moi, je m'absenterai un moment vers 14 heures pour aller voir ma mère, mais, à part ça, je ne bougerai pas. Il y a un double des clés de la maison sur la table de l'entrée. Emporte-le au cas où je ne serais pas là quand tu reviendras.

Jennifer prit rendez-vous par téléphone avec les propriétaires des logements sélectionnés, puis entama sa tournée.

Le premier appartement qu'elle devait visiter se trouvait dans un quartier populaire. En voyant la façade lépreuse de l'immeuble et sa porte vitrée où un coup de poing ou un jet de pierre avait laissé une grande fêlure, elle passa devant sans s'arrêter. L'intérieur n'était sûrement pas plus engageant que l'extérieur. Si elle avait été seule, peut-être se serait-elle résignée à habiter là — le loyer était vraiment très bas, et une bombe de gaz lacrymogène suffisait à repousser la plupart des agresseurs —, mais elle ne voulait pas élever son enfant dans un environnement de ce genre.

Jennifer entra dans le deuxième et le troisième appartement de sa liste, mais elle n'y resta pas plus de quelques minutes tant ils étaient sinistres.

Les visites se succédèrent ainsi pendant toute la matinée. Elle les interrompit pour déjeuner, et se rendit alors compte qu'elle était trop fatiguée pour continuer. Elle devait retourner chez Ross et se reposer un moment.

Sans doute avait-il entendu la voiture arriver, car il était dans le vestibule lorsqu'elle y pénétra.

— Tu as trouvé quelque chose ? demanda-t-il.

— Non, encore rien, et je suis un peu découragée.

— Viens t'asseoir. J'ai à te parler.

— Je croyais que tu devais aller voir ta mère ?

— Dans un quart d'heure seulement.

La jeune femme suivit Ross dans le séjour, et ils s'installèrent chacun dans un fauteuil. Frank entra alors en trottinant et lui lécha la cheville avant de se diriger vers Ross, qui le prit sur ses genoux. Le chien s'y allongea confortablement et ne bougea plus.

— Je t'écoute, déclara Jennifer.

— Andrew a téléphoné.

— Ah bon ? La nuit lui a porté conseil ?

— Il a une proposition à te faire.

Le visage sombre de son interlocuteur disait à Jennifer que cette proposition n'allait pas lui plaire.

— A savoir ? s'enquit-elle néanmoins.

— Trois cent cinquante dollars par mois pendant trois ans.

— Il y met des conditions, j'imagine ?

— Oui, la première étant que le bébé soit bien de lui.

— Evidemment... Ensuite ?

— Il faut que tu quittes la ville.

— C'est tout ?

— Non. Ni toi ni ton enfant ne devez ensuite jamais tenter d'entrer en contact avec lui.

Si Jennifer s'attendait aux deux premières conditions posées par Ross, la troisième la laissa sans voix.

— Je l'ai gratifié de quelques épithètes que la politesse m'interdit de répéter, ajouta Ross, puis je lui ai raccroché au nez.

— Je suis désolée de t'avoir mêlé à cette affaire.

— Ce n'est pas grave.

— Je voulais juste, au départ, que tu me donnes son numéro de téléphone.

— Je sais.

— Si je m'étais doutée un seul instant que tu te disputerais avec ton frère à cause de moi, j'aurais essayé de me débrouiller autrement pour obtenir ses coordonnées.

— Ne t'inquiète pas : je suis plutôt content de lui avoir enfin dit son fait.

— Il pense vraiment pouvoir acheter sa tranquillité à si bon prix ? déclara Jennifer.

Sans doute Andrew la croyait-il dans une situation financière désespérée, et donc prête à accepter n'importe quoi, mais il se trompait : elle avait encore quelques économies, et suffisamment d'argent sur son compte en banque pour tenir le temps de retrouver du travail.

— Il ne s'agit que d'une première offre, souligna Ross. Je suis sûr qu'en insistant un peu, j'arriverai à le persuader de l'augmenter.

— Tu n'as pas à jouer les négociateurs. Ce n'est pas pour ça que je suis venue te voir.

— Si je peux t'être utile, cependant...

— Tu ne le peux pas, car ce n'est pas une simple question d'argent. Je te suis reconnaissante de vouloir m'aider, mais la solution du problème dépend maintenant d'Andrew et de lui seul.

Ross alla chercher sa mère et la conduisit chez le coiffeur. Le cardiologue ne l'avait pas encore autorisée à reprendre le volant, et Ross s'efforçait, depuis l'opération, de partager avec son père la charge que représentait ce manque d'autonomie.

Il laissa sa mère entre les mains de la coiffeuse et s'assit près de la porte avec le dernier numéro du *New England Journal of Medicine.* Quand, au bout d'une heure, Katherine vint le rejoindre, elle lui parut à peine différente de ce qu'elle était en arrivant. Il savait cependant que ce temps consacré à son apparence constituait pour elle un retour à la vie normale, et le plaisir qu'elle en retirait avait des effets bénéfiques sur sa santé.

Au lieu de la ramener directement chez elle, Ross se dirigea vers un jardin public aménagé au bord de la Willamette.

— Il fait beau, observa-t-il en s'arrêtant près de la grille d'entrée. Tu te sens d'attaque pour une petite promenade ?

— J'imagine que tu me l'imposeras, quelle que soit ma réponse ?

— Oui, c'est l'inconvénient d'avoir un fils médecin. Si tu étais fatiguée, je te laisserais tranquille, mais comme tu m'as l'air en pleine forme...

La température était douce, et aucun souffle de vent n'agitait la surface de l'eau. Ils s'engagèrent dans le sentier qui longeait la rivière ; la berge opposée était plantée d'arbres, avec juste une maison visible par-ci par-là. Seul le chant des oiseaux rompait le silence, et de grandes pelouses vert émeraude achevaient de donner à ce cadre un aspect champêtre.

— Je viens de recevoir de mon amie Joan le catalogue d'un magasin qui vend des jouets et des vêtements de bébé absolument adorables, déclara Katherine. Tu vas te moquer de moi, mais j'ai déjà commandé des dizaines d'articles... Heureusement qu'Andrew et Lucy n'habitent pas un deux pièces !

Son bonheur d'être bientôt grand-mère inspirait à Ross des sentiments contradictoires. Il s'en réjouissait pour elle, bien sûr, mais il aurait tant voulu être celui qui lui donnerait le premier de ses petits-enfants... Et l'idée d'avoir à lui cacher l'existence du deuxième enfant d'Andrew — ainsi que la façon dont ce dernier comptait le traiter — le mettait mal à l'aise également. Comment réagirait-elle si elle l'apprenait ? En aimerait-elle plus ou moins le bébé de Lucy ?

« Si » elle l'apprenait... A quoi bon se mentir ? songea Ross. Sa mère finirait par savoir la vérité. Ce serait dans plusieurs mois, ou dans plusieurs années, mais cela arriverait forcément. Il ne pouvait qu'essayer de retarder ce moment assez longtemps pour que le risque d'un nouvel infarctus ait sensiblement diminué.

— On dirait que tu t'investis déjà beaucoup dans ton rôle de grand-mère, remarqua-t-il.

— J'ai besoin de m'occuper. Je m'ennuie à la maison. D'ailleurs tu as eu raison de m'amener ici. Ce jardin est très beau.

Parvenus au bout du sentier, ils rebroussèrent chemin et revinrent lentement sur leurs pas. La conversation passa alors au séjour aux Antilles que les Griffin projetaient de faire en novembre, mais, une fois à la voiture, Ross insista pour prendre le pouls de sa mère.

— La prochaine fois, nous marcherons plus vite, annonça-t-il. Il faut que tu te réhabitues à faire des efforts physiques de manière progressive mais continue.

Il la ramena chez elle et, avant de regagner sa maison, il alla acheter dans une boutique de jouets artisanaux un ours en peluche dont la bouche de feutre noir esquissait un sourire malicieux.

Ross éprouva une gêne inattendue quand, à peine rentré, il offrit son cadeau à Jennifer.

— Tous les enfants doivent avoir un ours en peluche, se crut-il obligé d'expliquer lorsqu'elle eut ouvert le paquet.

La jeune femme était assise en tailleur sur son lit, et Ross, adossé à la commode, jeta un coup d'œil à la petite collection d'objets personnels posés sur la table de chevet.

Où allaient-ils passer la nuit prochaine ? Jennifer n'ayant pas encore trouvé de logement, fallait-il ou non lui proposer de rester un jour de plus chez lui ?

— Tu recevras sûrement des cadeaux de tes amis de San Francisco après la naissance, reprit-il, mais je voulais que tu en aies un dès maintenant.

— Merci, Ross. Et tu as très bien choisi : cet ours a l'air d'avoir le sens de l'humour. Il me rappellera à l'ordre chaque fois que je serai tentée de perdre le mien. Ce qui risque d'arriver souvent.

— Je suis content qu'il te plaise.

— Mes collègues de travail m'ont offert des cadeaux pour le bébé avant mon départ, en fait, mais il n'y avait pas de peluches et, en plus, je ne peux pas les regarder : ils sont dans des cartons.

— Quel emploi avais-tu ?

— J'étais secrétaire dans un magasin de fournitures de bureau.

Ce n'était pas du tout l'avenir professionnel que Ross imaginait autrefois pour Jennifer. Il se souvenait de l'adolescente à l'esprit vif et pénétrant qu'elle était neuf ans plus tôt. Ils pouvaient discuter pendant des heures de n'importe quel sujet... à condition qu'Andrew ne soit pas dans les parages, car elle n'était plus la même en sa présence. Il manquait totalement de curiosité intellectuelle, et elle s'abaissait à son niveau de peur de lui déplaire. Le fait que cette jeune fille brillante et réfléchie perde son temps avec Andrew et ses amis exaspérait Ross.

A moins que sa colère ne s'explique par la jalousie : il aurait voulu Jennifer pour lui tout seul.

— J'espère trouver très vite du travail ici, déclara-t-elle.

— Qu'aimerais-tu faire ?

— Mes qualifications ne sont malheureusement pas à la hauteur de mes ambitions : je n'ai que le baccalauréat.

— Tu n'es pas allée à l'université ?

— Si, mais la maladie de ma mère m'a obligée à interrompre mes études avant d'avoir obtenu le moindre diplôme. Je devrai donc me contenter d'un emploi de type secrétaire, vendeuse ou réceptionniste.

— Comment t'organiseras-tu, quand le bébé sera là ?

— Je n'en sais rien encore.

— Et si tu essayais de travailler en free-lance ? Cela te permettrait de rester chez toi et t'éviterait de donner ton bébé à garder. J'ai vu dans les librairies des livres pour apprendre soi-même à concevoir des pages web.

— Il est difficile de percer dans ce type d'activité. Il faut avoir des relations.

— Je peux te faire profiter des miennes. Et pourquoi ne reprendrais-tu pas tes études ? Tu n'as que vingt-six ans, après tout !

— Il m'arrive de me sentir beaucoup plus vieille, observa Jennifer avec un sourire désabusé.

Elle fixa un moment l'ours en peluche sans rien dire avant d'annoncer :

— J'ai peut-être trouvé un logement. Son loyer est un peu plus cher que ce que je voulais y mettre, mais, d'après la description, il a l'air bien.

— Tu ne l'as pas visité ?

— Non, j'ai juste appelé le numéro qui figurait sur l'annonce. C'est un studio meublé et immédiatement disponible, mais le gérant refuse que je règle la caution et le premier mois de loyer avec un chèque payable dans un autre Etat. Il me manque deux cents dollars pour lui verser la totalité de la somme en liquide. A ce propos, je me demandais si tu accepterais de me les donner contre un chèque du même montant. Rassure-toi, mon compte en banque est suffisamment approvisionné, bien entendu.

— Pas de problème, dit Ross. Où est situé cet appartement ?

Jennifer lui indiqua l'adresse et ajouta :

— C'est un quartier sûr, n'est-ce pas ? Pas aussi beau que celui-ci, naturellement, mais tranquille, si mes souvenirs sont bons.

C'était vrai neuf ans plus tôt, mais une zone industrielle et une cité s'étaient construites depuis à proximité, et les conditions de vie s'y étaient peu à peu dégradées.

— Allons voir sur place, se borna cependant à déclarer Ross.

L'endroit où ils se rendirent se révéla conforme à l'image qu'il en avait. L'immeuble lui-même était un ancien motel, dans lequel aucune rénovation n'avait visiblement été effectuée. Le crépi de la façade s'effritait et la peinture des huisseries semblait dater d'une bonne vingtaine d'années. Les voitures garées sur le parking étaient encore plus vieilles que celle de Jennifer, et une autoroute toute proche remplissait l'air de bruit et de gaz d'échappement.

— C'est moi qui ai appelé en début d'après-midi, expliqua la jeune femme à l'homme assis dans le bureau situé au fond du hall d'entrée.

A peine visible à travers la fumée de sa cigarette, le gérant se leva mais ne jugea pas utile de baisser sa radio, réglée à plein volume. Il sortit un document d'un tiroir et le poussa vers Jennifer en marmonnant :

— Payez-moi la caution et le premier mois de loyer, et signez ensuite en bas de cette feuille.

— J'aimerais d'abord visiter l'appartement.

L'homme haussa les épaules, décrocha une clé du panneau de bois placé derrière lui et la tendit à Jennifer.

— Deuxième étage, porte 206, indiqua-t-il, mais dépêchez-vous : je pars dans une demi-heure.

— Quelle amabilité ! murmura Ross avant de sortir du bureau avec sa compagne.

Le tapis d'escalier était râpé, la moquette du couloir trouée par endroits et tachée à d'autres. La porte 206, dont la peinture bleue s'écaillait, révéla une fois ouverte une chambre de motel transformée en studio à moindres frais.

La pièce sentait le renfermé, il y faisait très chaud, et son unique fenêtre, équipée de rideaux d'une propreté douteuse, donnait sur le parking. Un lit recouvert d'un dessus-de-lit marron, un fauteuil à la tapisserie élimée et une commode de bois blanc en constituaient tout l'ameublement. Un coin cuisine avait été sommairement aménagé près de la salle de bains, avec un petit réfrigérateur et un réchaud à deux feux.

Ross essaya d'imaginer Jennifer installée dans ce studio, seule, puis avec un bébé...

— Il n'est pas question que tu vives dans ce taudis ! décréta-t-il.

— C'est pourtant mieux que tout ce que j'ai vu ce matin, et j'ai connu pire : ma mère gagnait difficilement sa vie, je te le rappelle... De toute façon, vu mon budget je n'ai pas le choix.

— Si, tu l'as : tu peux loger chez moi.

8.

« Tu peux loger chez moi. »

Ross avait prononcé cette phrase comme si elle allait de soi, comme s'il excluait d'avance toute discussion.

Jennifer jeta un coup d'œil à la kitchenette et aux meubles fatigués. Un nouveau dessus-de-lit, une housse pour le fauteuil et des affiches sur les murs rendraient ce studio un peu plus attrayant. Il ressemblerait toujours à une chambre de motel, mais elle y serait chez elle. Et puis il y avait le parking : sa voiture y était plus en sûreté que dans la rue.

Les mains de Ross, fermes et chaudes, se posèrent sur ses épaules et la poussèrent doucement vers la porte.

— Rentrons à la maison ! dit-il.

Troublée par les images que ces mots lui évoquaient, elle se laissa faire.

« A la maison »... Une maison où elle se sentait bien, où elle avait envie de rester, et pas seulement parce que le cadre en était agréable, mais parce qu'elle la partagerait avec Ross. Ils prendraient leurs repas ensemble, discuteraient comme autrefois, réapprendraient à se connaître...

C'était dangereux, cependant. Elle risquait d'y trouver un confort matériel et moral qui lui manquerait lorsqu'elle devrait partir.

Ce qui arriverait tôt ou tard. Même si Andrew ne changeait pas d'attitude, Ross avait sa vie, et pourquoi s'encombrerait-il d'une femme qui ne lui était rien et de l'enfant d'un autre ?

S'il lui proposait de s'installer vraiment, d'ailleurs, elle refuserait. Le bien de son enfant passait avant tout, et Ross en était l'oncle, pas le père. Le fait d'habiter chez lui jetterait la confusion dans l'esprit de cet enfant quand il serait plus grand, d'autant qu'il percevrait les sentiments de sa mère pour leur protecteur. Des sentiments qu'elle savait déplacés : une femme qui s'était laissé séduire par un homme et convoitait ensuite son frère n'était pas exactement le modèle de mère idéale pour son fils ou sa fille.

Pendant que Jennifer réfléchissait ainsi, ils avaient regagné le rez-de-chaussée. Ross lui demanda la clé du studio, et elle la lui remit docilement, puis le regarda entrer dans le bureau du gérant. Il en ressortit trente secondes plus tard, l'air toujours aussi déterminé, et prit le bras de Jennifer pour la ramener à la voiture.

— Personne ne devrait être obligé de vivre dans un endroit aussi sordide, grommela-t-il avant de démarrer.

Jennifer se replongea dans ses pensées tandis que le 4x4 quittait le parking. Elle pouvait dès ce soir prendre une chambre dans le motel où elle avait prévu d'aller la veille, et y rester le temps de trouver un appartement. Cela lui reviendrait néanmoins très cher, car il y avait sûrement à Portland des logements corrects et à bas prix, mais il fallait généralement du temps pour que ce genre d'occasion se présente. Si elle patientait quelques semaines, en revanche, la chance finirait peut-être par lui sourire. Ou bien alors Andrew changerait d'avis et lui fournirait l'aide matérielle nécessaire pour louer un appartement dans un quartier sûr et agréable.

— Ce serait provisoire..., dit-elle d'une voix hésitante.

— Bien sûr.

— En lisant tous les jours les petites annonces, je devrais arriver à trouver ce que je veux au bout d'un mois maximum.

— Même si ça prend plus longtemps, ce ne sera pas un problème pour moi.

— Si je suis encore chez toi dans trois mois, tu vas te retrouver avec un bébé sous ton toit.

— Et alors ?

— Alors les bébés ont une fâcheuse tendance à pleurer à n'importe quelle heure du jour et de la nuit.

— Oui, il paraît, observa Ross avec l'ombre d'un sourire.

Jennifer se tut pour mieux savourer l'étrange sentiment de complicité qui les liait soudain, car elle savait qu'il ne durerait pas : sa remarque suivante allait rappeler à Ross qu'il leur était impossible de cohabiter.

— Et ta famille ? déclara-t-elle. Comment réagira ta mère si elle apprend que tu m'héberges ?

— Elle l'apprendra forcément, et de ma propre bouche : je l'en informerai la prochaine fois que je la verrai.

— Quelle explication lui donneras-tu ?

— Je lui dirai une partie de la vérité : que tu as décidé de revenir t'installer à Portland et que je te loge le temps que tu trouves un appartement.

— Tu lui parleras de ma grossesse ?

— Oui, pour qu'elle ne soit pas surprise si vous vous rencontrez un jour.

— Et si elle te demande qui est le père ?

— Je ne lui répondrai pas.
— Elle risque de croire que c'est toi.
— Non, elle me connaît trop bien pour ça.
Une brusque rougeur monta aux joues de Jennifer. Par association d'idées, elle venait de songer que, si son bébé avait été de Ross, ils auraient fait l'amour au moins une fois. Elle regarda ses mains manœuvrer le volant — de grandes mains aux gestes sûrs, des mains de médecin —, et détourna très vite les yeux, parce qu'elle commençait à les imaginer en train de se promener sur son corps.
Tous ses sens en émoi, elle s'éclaircit la voix avant d'observer :
— Tes parents pourraient deviner la vérité.
— J'en doute. Ils ont une confiance aveugle en Andrew, et l'idée qu'il ait trompé sa femme ne leur traversera même pas l'esprit.
— Mais s'ils y pensent malgré tout et te posent la question ?
— Je leur mentirai — à condition que tu m'y autorises.
— J'espère que les choses n'en arriveront pas là.
— Moi aussi.
La fin du trajet se déroula en silence. Ross s'arrêta devant sa maison, puis déclara d'un ton péremptoire :
— Tu vas mettre ta voiture dans la contre-allée, pour que nous puissions descendre les affaires dont tu as besoin.
Tout en se demandant si elle n'était pas en train de commettre une grave erreur, la jeune femme acquiesça de la tête.
Ross monta dans la chambre de Jennifer les quelques objets qu'elle lui avait désignés : le cactus en pot, une valise, un carton de livres et une petite caisse en plastique noir remplie de dossiers.

Pendant qu'elle accrochait ses vêtements dans la penderie, il ouvrit les tiroirs de la commode en merisier qu'il avait achetée avec Lucy dans une vente aux enchères. Les deux premiers étaient vides, mais le troisième contenait des pull-overs et d'autres habits d'hiver, qu'il empila sur le palier en attendant de les ranger ailleurs.

Il revint ensuite sur ses pas et s'appuya contre le chambranle de la porte pour regarder la jeune femme défaire ses bagages. Ce spectacle le réjouissait malgré les nombreuses complications qui ne manqueraient pas d'arriver. Pourtant, il était bien déterminé à ne pas laisser Jennifer sortir une seconde fois de sa vie, encore moins à la laisser s'installer dans un appartement sordide comme celui qu'ils venaient de visiter.

Le cactus était déjà posé près de la fenêtre, et quelques livres avaient rejoint l'ours en peluche sur la table de chevet — un ouvrage sur la psychologie des jeunes enfants, un recueil de poèmes et un roman. Ross fut heureux de constater que Jennifer aimait toujours la lecture.

— Je te paierai un loyer, dit-elle en mettant la caisse de dossiers sur le petit bureau placé dans un angle de la pièce.

— C'est hors de question !

— Si ! J'y tiens, je n'ai pas l'intention de vivre chez toi en parasite. Je te donnerai ce que m'aurait coûté le studio de tout à l'heure.

Ross repensa à cet après-midi, neuf ans plus tôt, où Jennifer avait acheté des fleurs pour Lenora. Il avait voulu la rembourser et elle avait refusé, par fierté. C'était ce même sentiment qui la poussait aujourd'hui à insister pour lui payer un loyer. Il serait difficile de l'en dissuader, mais Ross décida malgré tout d'essayer :

— Tu es mon invitée, et en plus tu es la mère de mon futur neveu ou de ma future nièce. Il ne doit pas y avoir d'histoire d'argent entre nous.

— Tu me rends déjà un immense service en m'offrant un toit. Tu n'as pas en plus à me faire la charité.

— Il ne s'agit pas de charité.

— Inutile de te fatiguer : soit je te paie un loyer, soit je m'en vais.

— Bon, d'accord...

Avec un sourire satisfait, Jennifer disparut dans la salle de bains, une pile de serviettes de toilette dans les bras. Ross espérait qu'elle se montrerait plus souple dans quelques mois. Même si elle avait trouvé d'ici là un logement décent et bon marché — ce qui semblait improbable —, il comptait l'aider financièrement, car il ne la voyait pas accepter aucune des propositions qu'Andrew pourrait lui faire. Après la naissance, elle n'aurait sans doute pas le cœur de refuser un complément de revenus synonyme de mieux-être pour son enfant.

Et à propos d'Andrew...

— Il faut que j'appelle mon frère, déclara Ross. Je dois lui dire que tu vas habiter chez moi.

— Comment prendra-t-il cette nouvelle, à ton avis ? demanda la jeune femme en ressortant de la salle de bains.

— Il sera furieux contre moi, mais, comme il l'est déjà, ce n'est pas très grave.

Ross s'enferma de nouveau dans son bureau pour téléphoner à Andrew. Il ne voulait pas que Jennifer entende une conversation qui risquait d'être orageuse.

— Elle décline ton offre, annonça-t-il sans préambule à son frère lorsqu'il l'eut en ligne. Et je la loge en attendant que sa situation se soit stabilisée.

— De quoi tu te mêles ?

De violents reproches suivirent, que Ross écouta patiemment. La colère d'Andrew finit par se calmer, et ce fut sur un ton ironique qu'il conclut :

— Comme d'habitude, tu t'es débrouillé pour avoir le beau rôle, celui du redresseur de torts !

— Tu fais bien de parler de torts, répliqua Ross, car ta proposition est d'une bassesse inqualifiable. J'ai honte d'avoir pour frère un homme capable de traiter son enfant de façon aussi odieuse... A moins que tu ne prétendes toujours ne pas en être le père ?

— Si Jennifer m'en fournit la preuve, je veux bien discuter. Sinon, fichez-moi la paix tous les deux !

— Comment peux-tu si mal la connaître, alors que tu es sorti avec elle pendant des mois ?

— C'était il y a neuf ans !

— Je sais, mais elle n'a pas beaucoup changé depuis.

— Pourquoi la défends-tu ainsi ? Tu la crois parfaite ? Personne ne l'est, même pas toi !

Ross s'était entendu dire à peu près la même chose, et de la même bouche, quelques semaines après son divorce. « Tu n'es donc pas parfait, finalement », avaient été les mots exacts d'Andrew. Il n'y avait pas prêté grande attention sur le moment, mais la suite des événements avait révélé chez Andrew une volonté farouche de prouver à son entourage sa supériorité sur son aîné.

— Je ne suis même pas sûr que tu veuilles vraiment résoudre le problème, observa Ross, car tu en as la possibilité. Cela te mettrait dans une situation embarrassante, et ton image en souffrirait, mais n'oublie pas que l'avenir d'un enfant est en jeu dans cette affaire.

— Tu en parles à ton aise ! Ce n'est pas toi qui es victime d'une tentative de chantage !

Pour la deuxième fois de la journée, Ross raccrocha au nez de son frère. Il ne gagnerait rien à poursuivre cette conversation.

Jennifer passa les quelques jours suivants à chercher du travail. Maintenant qu'elle avait emménagé chez Ross, il lui paraissait plus urgent de trouver un emploi qu'un logement. Elle s'inscrivit dans une agence d'intérim, dont le directeur lui donna cependant peu d'espoir : la demande était en ce moment supérieure à l'offre.

Un magasin de reprographie lui proposa de l'engager sur-le-champ, mais elle dut refuser quand, au bout d'un quart d'heure seulement d'entretien dans le bureau attenant à la boutique, elle se sentit incommodée par l'odeur du toner. La période critique du premier trimestre de grossesse était passée, mais la santé de son bébé lui importait trop pour qu'elle prenne le moindre risque.

Cédant aux instances de Ross, elle se fit faire à l'hôpital une série d'analyses, dont les résultats ne révélèrent pas d'anomalies. L'obstétricien qui la reçut jugea également satisfaisants sa prise de poids et son état général.

Elle appela aussi ses amis de San Francisco pour leur donner l'adresse et le numéro de téléphone de Ross. Le chèque de son dernier mois de salaire était arrivé au courrier, et ils promirent de le lui envoyer dans les meilleurs délais.

Ross avait repris son service de jour au CHR. Un soir, il emmena Jennifer chez les maîtres de Frank, qui revenaient d'un séjour sur la côte Est. Il devait leur rendre le chien et, en apprenant qu'il avait maintenant une locataire, ils les avaient invités tous les deux à dîner.

Kyle et Melissa habitaient un pavillon situé dans une rue tranquille. Ross se gara contre le trottoir, puis descendit de l'arrière du 4x4 le panier de Frank, avec l'animal dedans. Dès que celui-ci reconnut son cadre familier, il s'agita frénétiquement et aboya si fort que Kyle, Melissa et leur petite fille de trois ans sortirent en courant de la maison.

— Te voilà de retour chez toi, déclara Ross en posant le panier devant la porte.

Le chihuahua en bondit, et ses retrouvailles avec Emily donnèrent lieu à une danse joyeuse ponctuée de rires et de jappements.

Ross fit les présentations, puis les adultes allèrent s'asseoir dans le séjour. Kyle et Melissa étaient des gens accueillants et chaleureux, que Jennifer trouva tout de suite sympathiques. Melissa travaillait avec Ross au service des urgences, et elle assurait également des permanences bénévoles dans le dispensaire que dirigeait son mari. Ross avait expliqué à Jennifer pendant le trajet qu'une solide amitié le liait à ce couple depuis plusieurs années.

Au bout d'un moment, Kyle quitta la pièce pour aller finir de préparer le dîner. Emily et Frank y entrèrent alors, et la petite fille se dirigea tout droit vers une étagère, où elle prit un livre qu'elle apporta ensuite à Ross.

Ce dernier la souleva de terre et l'installa près de lui dans le canapé.

— *Le Petit Lapin blanc* ! s'écria-t-il. Quelle chance ! C'est mon préféré !

Son enthousiasme ravit la fillette, mais ce fut avec beaucoup de sérieux et de concentration qu'elle l'écouta lui lire l'histoire. Il y mettait le ton et semblait s'y intéresser autant qu'elle.

Jennifer ne pouvait détacher les yeux du tableau qu'ils formaient tous les deux. Ross avait manifestement un bon contact avec les enfants et, ne l'ayant jamais vu dans ce genre de situation, elle s'étonnait du plaisir évident qu'il en retirait. Il n'y avait rien de forcé dans son attitude, et Emily le sentait ; le courant passait entre eux, tout simplement.

Après avoir refermé le livre, Ross leva la tête, et son regard croisa celui de Jennifer. Il sourit et ce qu'elle lut dans ce sourire lui alla droit au cœur.

Elle dut faire un gros effort pour ne pas trahir son émotion. Pourquoi était-ce Andrew, et non Ross, qu'elle avait retrouvé à San Francisco en décembre dernier ? Pourquoi n'était-ce pas Ross le père de son bébé ? Il ferait un père merveilleux — attentif, aimant, disponible... L'idée que son enfant ne connaîtrait jamais ce bonheur la mettait au bord des larmes.

La voix de Melissa la ramena à la réalité :

— Que puis-je vous offrir à boire, Jennifer ? Un soda ? Un jus de fruits ? Et toi, Ross, que veux-tu ?

Ils optèrent tous les deux pour un jus de fruits, et leur hôtesse les quitta pour aller en chercher dans la cuisine. Elle revint un instant plus tard avec Kyle, servit les boissons, puis s'assit à côté de Jennifer pendant que les deux hommes entamaient une discussion à propos de la prochaine campagne de collecte de fonds pour le dispensaire.

— Comment avez-vous fait la connaissance de Ross ? demanda Melissa.

— Je l'ai rencontré quand j'étais au lycée.

— Vous êtes originaire de Portland ?

— Non. J'y ai habité un certain temps, mais j'ai eu une enfance et une adolescence quelque peu nomades.

Andrea Burns ne s'était vraiment fixée qu'après avoir déménagé à San Francisco, et en grande partie parce que sa maladie l'y avait obligée.

— Dans quelles villes avez-vous résidé ? déclara Melissa.

— Seattle, Idaho Falls, Denver... J'ai même vécu six mois sur l'archipel de San Juan.

— Vraiment ? Mon mari et moi y sommes allés en vacances l'an dernier... C'est un endroit magnifique ! Et combien de temps êtes-vous restée à Portland ?

— Un peu plus d'un an.

— Quand vous étiez lycéenne, Ross devait pourtant avoir déjà commencé ses études de médecine... Il est plus âgé que vous, non ?

— Merci de me faire passer pour un vieillard ! intervint l'intéressé.

— Tu es plus jeune que moi, alors arrête, tu veux ?

Ross et Melissa se lancèrent encore quelques piques et, après un dernier saut dans la cuisine, Kyle annonça que le dîner était prêt.

A la fin du repas, les deux hommes se proposèrent pour débarrasser la table, et les femmes — y compris Emily — regagnèrent le séjour. La fillette regardait le ventre de Jennifer avec de plus en plus d'insistance depuis le début de la soirée et, avant de s'asseoir, elle demanda à le toucher.

— Il y a un bébé là-dedans ? demanda-t-elle d'un air émerveillé.

Jennifer hocha affirmativement la tête, et le bébé choisit ce moment pour bouger.

— Il donne des coups de pied ! Il donne des coups de pied ! s'exclama Emily, tout excitée.

Elle alla ensuite s'installer dans le canapé avec une pile de livres, mais pour se relever trente secondes plus tard et poser de nouveau la main sur le ventre de Jennifer.

— J'espère que ça ne vous ennuie pas ? dit Melissa.

— Non, pas du tout.

— Je ne voudrais pas paraître indiscrète, mais vous menez votre grossesse seule ?

— Oui.

— Ce doit être dur.

« Surtout quand je mesure, comme maintenant, tout ce dont je suis privée et que je n'aurai jamais », songea Jennifer.

— J'aurais aimé que les choses se passent autrement, déclara-t-elle, mais je n'ai pas eu le choix.

— Le père ne se sent pas concerné ?

— Il refuse de s'impliquer en quoi que ce soit dans la vie de notre enfant.

La moue que fit Melissa exprimait très clairement son opinion sur le père en question.

L'entente tacite qui semblait unir Jennifer à son hôtesse la surprenait. Melissa semblait comprendre d'instinct ce qu'il aurait fallu expliquer pendant des heures à la plupart des hommes, et sans garantie de succès. C'était dû en partie au fait qu'elle était femme elle-même, mais sa sensibilité naturelle, son ouverture aux autres y étaient certainement pour beaucoup. L'amitié que Ross lui vouait mettait également Jennifer en confiance : jamais elle n'avait été aussi à l'aise avec une personne qu'elle connaissait depuis une heure à peine.

— Il a ses raisons, bien sûr, reprit-elle.

— Elles sont bonnes ?

— Oui, si on considère comme telles un mariage dont il a omis de me parler, et une épouse enceinte.

— Il y a vraiment des hommes qui n'ont aucune conscience !

Ce sujet occupa encore un moment les deux femmes, mais, aussi compréhensive et chaleureuse que fût son interlocutrice, Jennifer ne se sentait pas prête à lui révéler l'identité du père de son bébé. Melissa fut heureusement assez discrète pour ne pas lui poser la question, et elle orienta ensuite la conversation sur les aspects pratiques de la maternité.

— Vous vous êtes déjà occupée de jeunes enfants ? demanda-t-elle.

— Non, je n'ai aucune expérience en la matière.

— Je n'en avais pas moi non plus, mais on apprend vite, vous verrez.

— Pour me préparer, je lis des ouvrages de puériculture. On y trouve des informations dans toutes sortes de domaines : l'alimentation, les soins quotidiens, les maladies infantiles...

— Si, le moment venu, vous voulez des conseils, n'hésitez pas à faire appel à moi.

— Entendu, et j'accepte d'autant plus volontiers votre proposition qu'Emily semble avoir bénéficié d'une éducation parfaite sur tous les plans.

— Je me souviens aussi des angoisses que j'ai éprouvées pendant ma grossesse, alors, si vous avez le moindre souci, ou même juste envie de parler, appelez-moi.

— Merci. Cela me réconforte de savoir que j'aurai toujours quelqu'un vers qui me tourner en cas de besoin.

— Les femmes doivent se serrer les coudes, dans un monde où le machisme est encore loin d'avoir disparu.

Les deux hommes revinrent alors dans le séjour, et Kyle dit à Jennifer :

— Ross me dit que vous cherchez un emploi et nous en avons justement un à pourvoir au dispensaire : notre réceptionniste vient de déménager à New York. Ce travail consiste à répondre au téléphone, accueillir les patients et gérer leurs dossiers. Ce n'est qu'un mi-temps, et il ne donne malheureusement droit à aucune prestation sociale, mais vous me rendriez un grand service en le prenant.

— Je ne peux pas m'engager pour plus de quelques mois, indiqua la jeune femme. Je ne sais pas encore ce que je ferai après la naissance.

— Oui, Ross me l'a expliqué, et nous recruterons quelqu'un d'autre si vous décidez alors de démissionner. Je serais cependant soulagé de ne pas avoir à m'en occuper dès maintenant : le mois prochain va être très chargé.

C'était presque trop beau pour être vrai et, ne voyant aucune raison de refuser un arrangement qui contentait tout le monde, Jennifer demanda :

— Quand voulez-vous que je commence ?

— Après-demain, si ce délai n'est pas trop court pour vous.

Avant de répondre, la jeune femme regarda Ross, comme pour solliciter son avis. C'était pourtant stupide : elle n'avait pas besoin de son approbation pour accepter un emploi !

— Pas de problème, déclara-t-elle.

Sur le chemin du retour, Ross souligna que le dispensaire n'avait pas de page web.

— Kyle m'a dit il y a un mois ou deux qu'il souhaitait en avoir une, ajouta-t-il. Tu devrais lui en parler.

— A quoi lui servira-t-elle ?

— A sensibiliser le public aux carences de notre système d'assurance sociale, mais surtout à donner à des patients potentiels les coordonnées de l'établissement et des informations sur l'aide qu'il peut leur apporter. Je ne suis pas sûr que Kyle aura les moyens de te rétribuer, mais, dans tous les cas, tu pourras ensuite te prévaloir de cette expérience pour obtenir d'autres contrats.

— C'est vrai.

L'idée de travailler en free-lance, et dans un domaine aussi concurrentiel que la conception de pages web, paraissait soudain à Jennifer beaucoup moins irréaliste. Si elle se constituait un curriculum vitæ solide, en proposant dans un premier temps ses services à des associations sans contrepartie financière, elle aurait des chances de se faire à terme une clientèle payante.

Après cette soirée, il lui semblait avoir vraiment commencé de se créer des attaches à Portland : elle avait un emploi stable, un autre en perspective, et une nouvelle amie en la personne de Melissa.

Quand Ross se gara devant sa maison, il dit avec un petit sourire :

— Frank était un véritable poison, et pourtant je crois qu'il va me manquer.

— Ah oui ?

— Oui. Je m'étais habitué à lui.

Jennifer songea qu'elle aussi s'était habituée au petit chien. Comme elle s'était habituée à partager le toit et la vie de Ross. Trop vite, trop facilement, malgré les risques que cela comportait.

La voix de sa raison lui disait de ne pas baisser sa garde, mais il arrivait de plus en plus souvent qu'une autre voix, celle de son cœur, étouffe ce conseil de prudence.

9.

Neuf ans plus tôt

Un samedi soir, alors que les parents étaient sortis, je me suis retrouvé dans la cuisine avec Andrew et sa petite amie. Je ne l'avais pas beaucoup vue depuis le jour où elle m'avait aidé à déménager le lit de Lenora. Je passe la plus grande partie de mon temps libre à étudier le programme de ma prochaine année de médecine, pour prendre de l'avance, mais aussi pour éviter Jennifer. Je pense beaucoup trop à elle. Je l'ai mal jugée, au début, et, maintenant que je la connais mieux, elle m'inspire une attirance contre laquelle je dois absolument lutter : ce n'est qu'une gamine, et en plus, elle sort avec mon frère !

Andrew était de très bonne humeur, ce soir-là. Il n'arrêtait pas de rire et de plaisanter et, quand il est comme ça, il n'est pas difficile de comprendre pourquoi il jouit d'une telle popularité… Jennifer et lui devaient se rendre à une soirée, et il m'a proposé de les accompagner.

L'idée de passer la moitié de la nuit avec une bande d'adolescents excités ne me disait rien, c'est pourquoi j'ai refusé.

— Allez ! s'est écrié Andrew. Sors de ta tour d'ivoire, pour une fois, et amuse-toi un peu ! Tu te rappelles Marissa, la sœur aînée de Kenny ? Elle était une classe au-dessus de toi au lycée, et elle sera là avec quelques-uns de ses amis. Tu ne seras donc pas le seul de ton âge.

Je me souvenais très bien de Marissa. Elle m'avait fasciné pendant toute mon année de seconde, mais après, je ne lui avais plus prêté grande attention. Mes goûts avaient changé, j'imagine... Andrew a cependant piqué ma curiosité en me parlant d'elle : j'ai eu envie de savoir ce qu'elle était devenue. Et il paraissait vraiment désireux que je vienne. Pourquoi ne pas lui faire ce petit plaisir ? me suis-je dit. Nous sommes très différents, mais c'est quand même mon frère, et si ce genre d'effort peut améliorer nos relations...

J'ai donc accepté, et nous avons pris ma voiture. Jennifer, qui n'était intervenue dans la conversation ni pour me persuader ni pour me décourager de venir s'est assise à l'arrière et n'a pas ouvert la bouche du trajet, si bien que je n'avais aucun moyen de savoir si ma présence la réjouissait, l'ennuyait ou la laissait indifférente, mais je penchais plutôt pour cette dernière hypothèse.

Il était un peu moins de 22 heures quand nous sommes arrivés. La soirée battait son plein et, à en juger par le nombre de canettes de bière vides qui traînaient partout, les invités — une cinquantaine au total — avaient déjà beaucoup bu.

La jeune génération était rassemblée au bord de la piscine, et les « vieux » à l'intérieur de la maison. Je suis allé dire bonjour à Marissa. Elle m'a tout de suite reconnu et nous avons discuté un moment, puis elle m'a emmené près du buffet pour me présenter ses amis, dont une certaine Angélique, une jeune femme très séduisante que j'ai invitée à danser.

Elle me trouvait visiblement à son goût, elle aussi, car, au bout de deux minutes, elle m'a proposé d'aller faire plus ample connaissance dans une chambre du premier étage. J'avoue que je me suis laissé tenter, mais, arrivée en haut de l'escalier, elle m'a embrassé, et son haleine qui sentait le tabac et l'alcool m'a ramené à la réalité : elle était soûle, ce qui lui enlevait tout attrait à mes yeux.

J'ai déployé des trésors de tact pour me tirer de ses griffes sans la blesser, mais après, je ne me suis plus du tout senti à ma place dans cette soirée, et j'ai décidé d'aller prendre l'air — mais pas du côté de la piscine. Je suis sorti par la porte de devant, et j'ai aperçu dans la pénombre un banc qui m'a paru vide. En m'approchant, je me suis rendu compte de mon erreur : Jennifer y était assise avec une fille que je ne connaissais pas. Elle m'a présentée son amie — une Amy quelque chose —, je me suis installé à côté d'elles et nous avons parlé un moment ensemble, puis Amy est partie en disant qu'elle avait envie de danser.

— Où est Andrew ? ai-je alors demandé à Jennifer.

— Avec les autres, au bord de la piscine.

— Et tu n'es pas restée avec eux ?

Lors de notre dernière conversation, elle avait essayé de me convaincre qu'elle trouvait Andrew et ses amis très amusants. Je ne l'avais pas crue, et j'avais raison : toute cette troupe de lycéens à moitié ivres l'indisposait autant que moi.

— Je ne suis pas d'humeur à faire la fête, ce soir, a-t-elle murmuré.

J'ai regardé la rue, derrière la clôture blanche qui la séparait du jardin. Il n'y avait pas de trottoir, mais la maison était située dans un lotissement bien éclairé et, à une heure aussi tardive, aucune voiture ne circulait à part celles des invités qui quittaient la soirée.

— Ça te dirait de marcher un peu ? ai-je demandé.

— Oui, bonne idée ! a répondu Jennifer comme si c'était surtout le besoin de se dégourdir les jambes qui la motivait.

Et moi, bien sûr, j'ai tenté de me persuader que ma proposition s'expliquait juste par le désir d'échapper au bruit de la sono poussée à fond, qu'elle n'avait aucun rapport avec Jennifer, ni avec l'envie de passer du temps seul en sa compagnie sans risque d'être dérangé.

Notre promenade s'est d'abord déroulée en silence, et puis nous sommes arrivés devant un pavillon dont le jardin était décoré d'une bonne douzaine de cerfs, de daims, de biches et de faons en céramique.

— Seigneur ! me suis-je exclamé.

— J'ai déjà vu pire, a observé Jennifer.

— Où ça ?

— A Idaho Falls. Quand j'y habitais, il y avait à quelques rues de chez moi une maison dont les occupants avaient installé une véritable ménagerie sur leur pelouse : des perroquets, des flamants roses, toute une famille de tigres, un éléphant d'un mètre cinquante de haut, une demi-douzaine de poissons en caoutchouc cloués à un panneau de contre-plaqué peint en bleu... Il y avait même l'âne et le bœuf dans une crèche, avec le petit Jésus en prime !

Nous avons tous les deux éclaté de rire, et cela a brisé la glace : après, nous avons parlé à bâtons rompus, passant insensiblement du bijoutier maniaco-dépressif d'Idaho Falls qui employait la mère de Jennifer comme femme de ménage à un roman turc dont le *New York Times* avait fait l'éloge.

Je ne sais pas combien de temps nous avons marché en bavardant ainsi, mais j'ai été très déçu quand nous nous sommes retrouvés devant le pavillon où se tenait la soirée et qu'Andrew titubant nous y a accueillis en disant qu'il voulait rentrer…

Jennifer acheta un ouvrage sur la conception de pages web et s'installa dans le séjour pour commencer à le lire. Ross, en congé ce jour-là, travaillait sur un article dans son bureau.

Il faisait chaud et, par la baie vitrée qu'elle avait entrouverte avant de s'asseoir, la jeune femme entendit bientôt une voiture remonter l'avenue, puis ralentir avant de s'arrêter. Elle alla jeter un coup d'œil dehors et vit une Mercedes blanche garée derrière le 4x4 de Ross. La portière du passager s'ouvrit, et Katherine Griffin apparut, amaigrie par rapport au souvenir qu'en avait Jennifer, et l'air beaucoup plus vieille que son âge.

Une femme enceinte aux longs cheveux noirs descendit ensuite gracieusement du véhicule côté conducteur. Grande, la trentaine à peine, elle portait une robe de grossesse qui venait manifestement de chez un grand couturier. Ce ne pouvait être que Lucy, l'épouse d'Andrew, et Jennifer éprouva un pincement d'angoisse à la perspective de la rencontrer. Elle la regarda contourner la voiture pour aider Katherine à en sortir, puis ouvrir le coffre et y prendre un gros paquet recouvert de plastique blanc.

L'idée qu'elle devait prévenir Ross arracha Jennifer à sa contemplation. Elle alla passer la tête à la porte du bureau et annonça :

— Ta mère est là, accompagnée d'une jeune femme qui doit être Lucy.

— J'avais demandé à maman de me téléphoner avant de venir, mais elle ne m'écoute jamais ! déclara Ross avec un soupir.

Heureusement qu'il avait parlé d'elle à ses parents la semaine précédente, songea Jennifer, sinon Mme Griffin aurait eu un choc en découvrant qu'elle logeait chez lui.

— J'imagine qu'elle n'a pas pu résister à l'envie de te voir, reprit-il, même si elle a sûrement trouvé un prétexte pour donner à sa visite une autre raison que la simple curiosité.

— Cette remarque est censée me mettre à l'aise ? observa Jennifer d'un ton désabusé.

La sonnette de l'entrée retentit.

— Ne t'inquiète pas, tout se passera bien, affirma Ross en se levant.

Il alla ouvrir la porte, mais Jennifer, elle, ne bougea pas pour retarder le plus possible le moment où il lui faudrait affronter le regard inquisiteur — et peut-être les questions — de Katherine Griffin.

— Bonjour, Ross ! déclara cette dernière. Nous te rapportons les rideaux de ton bureau. Nous étions chez le teinturier, Lucy et moi, et j'en ai profité pour demander s'ils étaient prêts. Cela t'épargnera le dérangement.

Après l'avoir embrassée sur la joue, Ross fit un pas sur le côté, permettant ainsi à sa mère de voir Jennifer que sa haute silhouette lui avait dissimulée jusque-là.

— Bonjour, Jennifer ! dit Katherine.

Neuf ans plus tôt, Jennifer l'appelait Mme Griffin, mais l'adolescente d'autrefois était devenue une femme, et elle décida de le lui faire savoir en l'appelant par son prénom.

— Bonjour, Katherine. Ross m'a parlé de votre opération… J'espère que ce n'est plus qu'un mauvais souvenir ?

Son ton dégagé sonnait faux à ses propres oreilles, mais comment aurait-elle pu se sentir vraiment détendue alors qu'elle cachait à cette femme l'existence de son petit-fils ou de sa petite-fille illégitime ?

— Je me remets doucement, répondit Katherine.

Ross s'approcha alors de Lucy, prit le paquet qu'elle tenait toujours, et lui déclara :

— Je te présente Jennifer Burns… Jennifer, voici Lucy, ma belle-sœur.

Le sourire aux lèvres, Lucy s'avança et tendit à Jennifer une main fine et soignée.

— Il me semble que nous en sommes toutes les deux au même stade de notre grossesse…, fit-elle remarquer. Quand devez-vous accoucher ?

— Le 14 septembre.

— Et moi le 8… Il faudra que nous échangions nos impressions !

Ces mots furent prononcés d'une voix si chaleureuse que le cœur de Jennifer se serra : Lucy était une femme qui forçait la sympathie et qui méritait d'autant moins de souffrir par la faute d'un mari infidèle.

— Je te prépare une tasse de thé, maman ? demanda Ross.

— Oui, volontiers.

Il alla ranger les rideaux dans le placard du vestibule, prit le bras de sa mère et la conduisit dans le séjour, suivi de Lucy et de Jennifer.

— Si tu m'avais appelé pour m'annoncer ta visite, j'aurais mis de l'eau à chauffer, dit-il d'un air de doux reproche.

— Je vais m'en occuper, dit Jennifer qui n'avait aucune envie de se retrouver seule avec Katherine et Lucy.

Ross dut le comprendre, car il s'empressa d'acquiescer, et elle s'éclipsa. Son soulagement fut cependant de courte durée : à peine avait-elle allumé le gaz sous la bouilloire que Lucy entra dans la cuisine.

— Vous voulez un coup de main ? proposa-t-elle. Ross a entrepris de faire avouer à sa mère qu'elle ne suit pas à la lettre les recommandations du cardiologue, et je me sens de trop là-bas.

— Vous tombez bien, se força à répondre Jennifer. J'étais justement en train de me demander quel thé je devais servir. Il y en a là tout un choix : earl grey, orange pekoe, thé vert, à la bergamote, à la menthe...

— Ma belle-mère ne boit que du thé d'Assam, et Ross le met à part, dans le placard au-dessus de l'évier. Personnellement, c'est le thé vert que je préfère.

— Moi aussi.

— Alors nous allons faire deux théières.

— Je n'en ai trouvé qu'une.

— Il y en a une autre dans le bas du vaisselier.

Pour connaître aussi bien les habitudes de rangement de Ross, Lucy devait venir souvent prendre le thé chez lui... Cette constatation donna à Jennifer une sensation étrange. De jalousie ? Pas exactement. D'exclusion, plutôt, comme si, contrairement à Lucy, elle n'était que de passage dans la vie de Ross.

« Comme si » ? Non, c'était bien le cas, rectifia-t-elle intérieurement et, pour éviter de s'appesantir sur cette triste réalité, elle ouvrit la boîte de thé vert et mit deux sachets dans la théière.

— Vous savez si Katherine boit son thé noir ou avec du lait ? demanda-t-elle ensuite.

— Elle le boit sans lait ni sucre, comme Ross, et comme moi.

Jennifer enleva le sucrier et le pot à lait du plateau qu'elle avait commencé à préparer, puis elle chercha ce qu'elle pourrait bien faire pour s'occuper en attendant que l'eau soit en train de bouillir. Devait-elle aller rejoindre Ross et sa mère dans le séjour ? Rester avec Lucy dans la cuisine et essayer de trouver un sujet de conversation qui ne risquait de mener ni à Andrew ni à leurs relations passées, présentes ou futures ?

Mais Lucy ne lui laissa pas le temps de réfléchir.

— Katherine m'a dit qu'Andrew et vous sortiez ensemble, à l'époque du lycée ? demanda-t-elle d'un ton amusé.

Certaines femmes étaient jalouses des anciennes petites amies de leur mari, mais Lucy n'appartenait visiblement pas à cette catégorie. Jennifer ne comptait pas pour autant lui raconter ses souvenirs de jeunesse...

— Oui, nous sommes sortis ensemble pendant quelques mois, répondit-elle. C'est à ce moment-là que j'ai fait la connaissance de Ross. Il est revenu chez lui pour les vacances d'été, et nous sommes devenus amis.

Comment réagirait Lucy le jour où elle apprendrait la vérité ? songea Jennifer. Repenserait-elle à cette conversation et lui en voudrait-elle de ne pas lui avoir tout avoué à ce moment-là ?

— Et vous voilà de retour à Portland...., observa Lucy. Vous y êtes depuis longtemps ?

— Une semaine. Je cherche un appartement, mais je n'ai encore rien trouvé qui me convienne.

— Pourquoi avez-vous choisi de déménager maintenant ? C'est déjà fatigant pour une personne valide, alors pour une femme enceinte de six mois... Mais il est vrai qu'avec un nouveau-né, les choses n'auraient pas été faciles non plus...

— Je crois qu'elles l'auraient été encore moins, même si j'ai du mal à me représenter ma vie après la naissance. J'essaie de l'imaginer, mais la réalité me réserve sûrement des surprises.

— Oui, c'est comme la grossesse... Rien de ce que disent les livres et les autres femmes ne rend véritablement compte de cette expérience : il faut la vivre soi-même pour comprendre ce qu'elle a d'exaltant et d'angoissant en même temps. Même moi qui n'ai aucun problème de santé particulier, je suis à l'affût du moindre symptôme qui pourrait signaler une complication. Je ne m'attendais ni à devenir hypocondriaque, ni à sentir grandir un peu plus chaque jour ma joie de porter un enfant et mon amour pour lui.

Les sentiments décrits par Lucy étaient si semblables aux siens que Jennifer mesura vraiment pour la première fois le mal que lui ferait la révélation de l'infidélité d'Andrew et de ses conséquences. Son existence en serait bouleversée à jamais, et l'existence de l'enfant illégitime de son mari assombrirait jusqu'à son bonheur d'être mère.

— Oui, c'est une expérience extraordinaire, finit par déclarer Jennifer. Et je suis comme vous, partagée entre la peur et l'émerveillement.

Les changements physiques et psychologiques induits par la grossesse étaient, paradoxalement, le sujet dont il lui semblait le plus sûr de discuter avec Lucy.

Elle n'en fut pas moins soulagée quand l'eau se mit à bouillir et qu'elles purent regagner le séjour.

La visite de sa mère et de Lucy parut très longue à Ross, et il avait les nerfs à vif lorsqu'elle se termina enfin. Katherine n'avait cessé de parler des jouets et de la layette qu'elle achetait presque tous les jours pour le bébé de Lucy, de la chance qu'avait cet enfant de naître dans un foyer uni, de sa volonté d'être pour lui la plus aimante des grands-mères... Jennifer avait dû en éprouver un profond sentiment d'injustice.

— Je suis désolé, lui dit-il après avoir refermé la porte. Ça va ?

— J'ai passé des après-midi plus agréables, répondit-elle avec un soupir résigné, mais ta mère ne m'a pas demandé qui était le père de mon bébé, c'est déjà ça...

— Tu viendras au pique-nique, la semaine prochaine ?

Katherine avait invité Jennifer à la réception que donnaient tous les ans les Griffin le 4 juillet, à l'occasion de la fête nationale. Il s'agissait d'un déjeuner organisé dans leur jardin, mais plus protocolaire que ne le laissait supposer le terme de pique-nique. Jennifer y avait assisté neuf ans plus tôt avec Andrew et sa bande, et Ross se rappelait avoir eu beaucoup de mal à repousser les avances d'une des filles de cette bande, une certaine Heather, qui était un peu plus intéressante que Molly, mais beaucoup moins que Jennifer.

— Je ne sais pas si c'est une bonne idée, déclara cette dernière. Andrew sera là, et ma présence risque de créer une situation gênante.

— Oui, mais, d'un autre côté, cela lui montrera que ses lâches tentatives pour se débarrasser de toi n'ont pas entamé ta résolution.

— J'y réfléchirai, et je t'informerai de ma décision dès que je l'aurai prise.

— En attendant, tu peux m'aider à raccrocher les rideaux ?

— Bien sûr !

Après avoir sorti le paquet du placard, Ross alla chercher une échelle au sous-sol. Il la plaça devant la fenêtre de son bureau, grimpa dessus, et Jennifer lui tendit l'un des rideaux.

— Je n'arrête pas de penser à Lucy, dit-elle pendant qu'il passait les anneaux dans la tringle. C'est manifestement une femme bien, au point que je me demande comment elle a pu épouser un homme comme Andrew, mais le fait est là : elle l'a épousé, et je m'inquiète pour elle. En apprenant qu'il l'a trompée, elle va sûrement être anéantie.

— Oui, sûrement.

— Elle le quittera ?

— Je l'ignore.

Le premier rideau étant maintenant installé, Ross descendit de l'échelle, la mit de l'autre côté de la fenêtre et remonta dessus.

— J'ai le sentiment qu'Andrew avait déjà eu des maîtresses avant moi, observa Jennifer en lui donnant le deuxième rideau, et qu'il en a même peut-être eu depuis.

Cette remarque rappela à Ross quelque chose qu'il avait découvert peu après ce fameux été, neuf ans plus tôt. Il ne pouvait jurer que son frère avait eu plusieurs aventures extraconjugales, mais il en était presque certain.

— C'est très possible, répondit-il.

Comme si elle avait lu dans ses pensées, Jennifer déclara alors :

— Ça ne m'étonnerait pas qu'il m'ait trompée, moi aussi, quand nous sortions ensemble.

— Il l'a fait.

Dans la mesure où c'était Jennifer qui avait abordé le sujet, Ross estimait lui devoir la vérité, et comme elle s'en doutait déjà, de toute façon...

La confirmation de ses soupçons lui causa cependant un choc qui parut la surprendre elle-même.

— Tu l'as toujours su ? demanda-t-elle d'une voix un peu tremblante.

— Non, je ne l'ai appris que pendant les vacances de Noël suivantes, indiqua Ross.

Cela avait atténué les remords que lui avait laissés le baiser échangé avec Jennifer, mais sans les chasser complètement : il s'en voulait encore de ce moment d'égarement.

— Et avec qui Andrew m'a-t-il trompée ?

— Molly.

Une fille insignifiante, superficielle... Tout le contraire de Jennifer. Ross n'avait jamais bien compris pourquoi son frère l'avait choisie comme petite amie, compte tenu du peu d'affinités qu'ils avaient l'un avec l'autre. Mais elle était jolie, et Andrew avait sans doute espéré qu'elle le récompenserait de l'avoir arrachée à sa solitude en lui accordant ses faveurs.

Ce qu'elle n'avait pas fait, et Andrew avait dû se lasser d'attendre. Dès que l'occasion s'en était présentée, en la personne de Molly, il en avait profité.

— Je suis mal placée pour le juger, observa Jennifer après un petit silence. J'ai quelque chose à me reprocher, moi aussi.

Leur baiser... Ross, qui s'était demandé s'ils en parleraient un jour, tenta de croiser son regard pour voir si ce souvenir la troublait autant que lui, mais elle garda les yeux obstinément baissés.

— C'est moi qui suis le plus à blâmer dans cette affaire, déclara-t-il.

Parce qu'il était le plus âgé, et donc celui qui aurait dû avoir la force de résister à la tentation. Embrasser la petite amie de son frère était un acte moralement condamnable, et le fait qu'Andrew se trouvait peut-être dans les bras de Molly à cet instant précis ne diminuait pas sa gravité, puisque Ross l'ignorait à ce moment-là.

Mais l'élan qui les avait poussés l'un vers l'autre, Jennifer et lui, l'avait alors emporté sur toute autre considération.

Ensuite, l'idée de la rendre à son frère lui avait été insupportable, et il s'était débrouillé pour les séparer, bien qu'il eût manqué de l'audace nécessaire pour la revendiquer comme sienne.

— Andrew ne te méritait pas et ne te méritera jamais, remarqua-t-il d'une voix empreinte d'une étrange véhémence.

La jeune femme leva enfin les yeux vers lui, et il ressentit en y plongeant les siens un mélange de désir et de conscience de l'interdit qui lui rappela, en plus puissant encore, les affres éprouvées pendant ces mois d'été, neuf ans plus tôt.

Il soutint le regard de Jennifer aussi longtemps qu'il put endurer la torture de vouloir quelque chose qu'il n'aurait jamais, même dans l'hypothèse où ce souhait serait partagé.

Une profonde détresse l'envahit, et il détourna la tête — mais sans doute trop tard pour que son visage n'ait trahi ses sentiments —, puis finit de poser le deuxième rideau.

— Merci de ton aide, dit-il ensuite avec un sourire contraint. Nous pouvons reprendre nos activités respectives, à présent.

10.

Andrew rentra chez lui un peu avant 22 heures, après un dîner d'affaires avec les associés du cabinet d'avocats qui l'employait. Comme cela lui arrivait souvent depuis l'installation de Jennifer à Portland, il avait eu beaucoup de mal à concentrer son attention sur ce qui se passait autour de lui.

L'offre qu'il avait faite à la jeune femme la semaine précédente était modeste, il le savait, et elle l'avait logiquement refusée. Ses finances, plus basses que ne le croyait son entourage, lui interdisaient cependant de proposer beaucoup plus : cinq cents dollars constituaient le montant maximum qu'il pouvait se permettre de voir partir tous les mois. Si, en contrepartie, il était définitivement débarrassé du problème, cela en valait sans doute la peine, mais l'intervention de Ross compliquait les choses : son soutien rendait Jennifer moins vulnérable, et les négociations avec elle en seraient d'autant plus longues et difficiles.

Andrew trouva Lucy dans la chambre du bébé, occupée à examiner des échantillons de papier peint. Il l'embrassa et, après lui avoir montré ses deux ou trois motifs préférés, elle annonça :

— J'ai fait la connaissance d'une de tes anciennes amies, aujourd'hui.

— Ah bon ? déclara-t-il d'un ton qui se voulait insouciant. Et de qui s'agit-il ?

— De Jennifer Burns.

— Vraiment ? Et où l'as-tu rencontrée ?

— Chez Ross. Ta mère et moi y sommes passées cet après-midi pour lui rapporter des rideaux.

— Jennifer Burns... Ça alors ! Elle t'a dit que nous sortions ensemble, à l'époque du lycée ?

— Je le savais déjà par ta mère. Elle m'a beaucoup plu, et devine quoi ! Elle est enceinte, elle aussi !

Méfiant, Andrew fixa Lucy avec attention. Elle ne semblait être au courant de rien, mais si c'était un piège ? Si elle lui jouait la comédie de l'ignorance pour l'obliger à mentir et mieux le confondre ensuite ?

Dans le doute, cependant, il n'avait rien à perdre et tout à gagner à feindre l'innocence.

— Enceinte ? répéta-t-il.

— Oui et, nous devons accoucher à une semaine d'intervalle.

— Elle est revenue vivre à Portland ?

— Oui et, d'après ce que j'ai compris, elle loge chez Ross en attendant d'avoir trouvé un appartement à sa convenance.

— Qui est le père de son bébé ? demanda Andrew, le cœur battant.

— Ce n'est pas le genre de question qu'on peut poser à une quasi-inconnue, et Jennifer n'a sûrement pas envie d'en parler, de toute façon : le fait qu'elle soit seule donne à penser que cet homme l'a abandonnée.

Andrew contint à grand-peine un soupir de soulagement : Lucy ne savait rien, il en avait maintenant la certitude.

En couchant avec Jennifer, il avait commis une grosse imprudence, dont les conséquences — si c'était bien lui le père — allaient lui coûter un bon paquet d'argent, mais le pire était évité.

Le lendemain matin, Jennifer se rendit au dispensaire pour sa première journée de travail. Il était situé dans la vieille ville, non loin d'une librairie qu'elle avait coutume de fréquenter autrefois. Ce quartier était en cours de réhabilitation, mais il comportait encore de nombreux immeubles vétustes, et beaucoup de sans-abri y erraient ou mendiaient sur les trottoirs.

Arrivée avec un quart d'heure d'avance, Jennifer dut attendre que Kyle vienne la rejoindre et lui ouvre la porte. Après une rapide visite des locaux, il l'emmena dans le bureau de la réception, dont les fenêtres donnaient sur la rue, et lui montra le fonctionnement du standard ainsi que le système de classement des dossiers.

— Je vous fais confiance pour organiser au mieux votre temps en fonction d'une charge de travail qui peut varier d'un jour à l'autre, déclara-t-il. Ne laissez personne vous tyranniser et, si vous êtes fatiguée, n'hésitez pas à le dire : vous êtes ici pour aider, pas pour vous tuer à la tâche.

Pour finir, il la présenta à l'infirmière du dispensaire, une jeune femme prénommée Barbara qui conseilla aussitôt à Jennifer de ne tenir aucun compte des recommandations de Kyle.

— Les quelques fois où il s'est occupé de la réception, expliqua-t-elle, il a semé une telle pagaille dans les dossiers et pris tellement de rendez-vous à la même heure qu'il m'a fallu deux jours pour tout remettre en ordre.

Kyle protesta en riant, puis se dirigea vers la porte. L'atmosphère bon enfant qui semblait régner dans l'établissement chassa les dernières appréhensions de Jennifer : non seulement elle se sentait capable de bien y remplir ses fonctions, mais elle aurait plaisir à y travailler.

— Vous terminez à 12 h 30 aujourd'hui, n'est-ce pas ? lui demanda Barbara quand elles furent seules.

— Oui.

— Vous avez des projets pour le déjeuner ?

— Non.

— Alors je vous emmènerai fêter votre arrivée parmi nous dans un petit restaurant tout proche, le Buddy's Café. A plus tard !

L'infirmière partie, Jennifer s'installa à son bureau, et la matinée passa ensuite sans qu'elle eût un instant de répit. La plupart des gens qui téléphonaient ou se présentaient pour un rendez-vous vivaient dans la précarité et n'avaient pas les moyens de payer leurs soins médicaux, mais ils insistaient presque tous pour y apporter leur quote-part, même symbolique. Ils voulaient conserver leur dignité, montrer qu'ils n'avaient pas une mentalité d'assisté, et Jennifer comprenait d'autant mieux ce sentiment qu'il l'avait habitée pendant la majeure partie de son existence.

Le restaurant où elle alla déjeuner avec Barbara offrait un éventail de plats sans prétention, mais nourrissants et à des prix très bas. Elle en apprécia l'ambiance chaleureuse et animée et, voyant l'un des patients du matin assis à une table avec des amis, elle lui trouva encore mauvaise mine, mais l'air beaucoup plus enjoué qu'avant sa consultation.

— Je crois que cet endroit va devenir ma cantine, annonça-t-elle à Barbara sur le chemin du retour.

— Il l'est pour moi et, quand j'ai envie de changer un peu, il y a à deux pas d'ici un très bon restaurant vietnamien. Vous devriez demander à Ross de vous y emmener, un de ces jours... Et à propos de Ross, il paraît que vous vous êtes mise en ménage avec lui ?

Jennifer éclata de rire. Elle avait déjà compris qu'il ne fallait pas prendre au sérieux tout ce que disait l'infirmière.

— Non, répondit-elle. Je ne compte pas loger chez lui plus de quelques semaines, le temps de trouver un appartement.

— C'est lui le père de votre bébé ?

— Bien sûr que non !

— Je m'en doutais, remarquez, parce que ce n'est pas le genre d'homme à faire un enfant à une femme et à la laisser ensuite l'élever seule... Mais je suis certaine qu'il vous soutient et vous témoigne autant de sollicitude que si ce bébé était de lui.

— En effet.

Elles étaient maintenant arrivées devant le dispensaire, et Jennifer sortit ses clés de voiture de son sac.

— Si vous permettez à quelqu'un qui connaît bien Ross de vous donner un conseil, déclara alors Barbara, remerciez-le de ses attentions en lui rendant la pareille. Il s'occupe beaucoup des autres, mais il n'a personne pour s'occuper de lui.

Sur ces mots, elle poussa la porte et disparut à l'intérieur.

Ce soir-là, Ross mit le couvert pendant que Jennifer préparait le dîner, puis il s'assit à sa place et ouvrit une revue médicale. Il ne parvint cependant pas à en lire une ligne : son regard ne cessait de s'en détacher pour se poser sur Jennifer. L'air parfaitement à l'aise dans sa cuisine, elle s'y déplaçait avec une grâce surprenante pour une femme enceinte de six mois. Les rondeurs de la grossesse l'avantageaient et lui donnaient une présence que n'avait pas la frêle adolescente d'autrefois.

Il n'avait certes pas passé les neuf années précédentes à se languir d'elle, mais, à la voir maintenant prendre en charge leur repas de façon aussi simple et naturelle que s'ils formaient un vrai couple, il regrettait de ne pas avoir tenté de la retenir. Malgré des circonstances qui excluaient entre eux toutes relations autres qu'amicales, leurs retrouvailles avaient ravivé en lui les braises d'une passion qu'il croyait éteinte. La force du désir qui l'avait submergé la veille était là pour le prouver.

Et elle ne l'attirait pas seulement physiquement. Il aimait discuter avec elle, l'entendre défendre ses opinions sur les sujets les plus divers, sans agressivité mais avec une calme conviction qui forçait le respect.

Après sa consultation prénatale, par exemple, ils avaient parlé des différentes méthodes d'accouchement. Jennifer voulait avoir son bébé chez elle, seulement assistée par une sage-femme libérale. Ross, lui, jugeait que les équipements sophistiqués et le personnel hautement qualifié d'un hôpital en faisaient l'endroit le plus sûr pour mettre un enfant au monde. Jennifer avait cependant étudié la question de manière approfondie, et les arguments en faveur de l'accouchement à domicile qu'elle lui avait présentés l'avaient forcé à admettre que la plupart des femmes pouvaient opter sans risque pour cette solution.

Il se rendait compte maintenant que c'était exactement le genre de conversation, intéressante et stimulante, qu'ils avaient autrefois et qui lui avaient manqué pendant toutes ces années.

Renonçant à lire sa revue, Ross décida de poser à Jennifer une question qui le taraudait depuis plusieurs jours :

— Si Andrew n'avait pas été marié, qu'aurais-tu attendu de lui ?

— La même chose que dans la situation présente : qu'il joue son rôle de père auprès de notre enfant.

— Tu ne lui aurais pas demandé de t'épouser ?

— Grand Dieu, non ! Moins j'aurai de contacts avec lui dans l'avenir, mieux je me porterai !

Ross se leva et alla poser sa revue dans le séjour pour cacher son soulagement : Jennifer n'aurait pas voulu d'un Andrew même célibataire. Il avait sans doute profité pour la séduire d'un moment où elle était particulièrement seule et vulnérable, mais elle avait assez de jugement pour ne jamais avoir envisagé de se marier avec lui.

Quand Ross regagna la cuisine, le dîner était prêt, et la conversation s'orienta ensuite vers d'autres sujets.

Il faisait encore jour lorsqu'ils eurent terminé leur repas, et Ross se proposa pour débarrasser la table. Jennifer accepta et, un grand verre d'eau à la main, sortit sur la terrasse. Il entendit le grincement de la balancelle, puis vit les jambes de la jeune femme apparaître et disparaître alternativement derrière la fenêtre.

Pendant qu'il remplissait le lave-vaisselle, Ross se surprit à penser que la présence de Jennifer créait dans sa maison l'atmosphère de paix et de bien-être qu'il avait toujours associée à une vie de couple harmonieuse.

C'était stupide, bien sûr... Il avait cru, autrefois, qu'un lien très fort et très doux à la fois les unissait, Jennifer et lui, avant de se dire que convoiter la petite amie de son frère ne pouvait procéder d'aucun noble sentiment, et l'histoire se répétait aujourd'hui, en pire : il fantasmait de nouveau sur Jennifer, alors qu'elle attendait l'enfant d'Andrew...

Les tragédies antiques étaient pleines de ce genre de situation où amour rimait avec culpabilité. L'intrigue s'y dénouait par la violence et la mort, mais, dans la vraie vie, la raison devait l'emporter et laisser au temps le soin de calmer les passions interdites.

La cuisine étant à présent rangée, Ross alla rejoindre Jennifer dehors. L'air était tiède et le crépuscule rosissait un ciel sans nuages. Les étés de Portland faisaient oublier ses hivers gris et pluvieux : pendant trois mois, le soleil brillait sur une végétation d'un vert éclatant, et il n'existait aucun endroit au monde où Ross aurait préféré passer cette période de l'année.

Il traversa la terrasse et s'accouda à la balustrade. Par les fenêtres ouvertes des maisons voisines s'échappaient des bribes de musique et de conversations qui peuplaient le silence du jardin sans vraiment le rompre. Jennifer continuait à se balancer et, bien que Ross sentît son regard posé sur lui, il ne se retourna pas.

Peut-être à tort, mais incapable de s'en empêcher, il dit au bout d'un moment :

— Imaginons qu'Andrew ait été célibataire et que tu l'aies épousé pour le bien de ton enfant, tu ne crois pas que tu aurais fini par l'aimer ?

— Non, et de toute façon, je me méfie du mariage.

— Pourquoi ?

— Ma mère s'est mariée deux fois, a divorcé deux fois, et je ne l'ai jamais vue plus épanouie que pendant les périodes où il n'y avait pas d'homme à la maison.

Jennifer se tut ensuite, et Ross respecta son silence. Sans doute pensait-elle à sa mère. Peut-être pensait-elle aussi aux années de son enfance passées sous la tutelle de beaux-pères qui l'avaient rendue malheureuse.

— Les gens se marient souvent pour de mauvaises raisons, reprit-elle finalement. Par intérêt, par devoir, pour le sexe, ou par crainte de la solitude. Ils ne savent généralement pas dans quoi ils s'embarquent.

— C'est ce qui est arrivé à ta mère ?

— Oui, et également à une de mes amies.

— Il ne faut pas généraliser. Certaines personnes font de mauvais choix, c'est tout.

— C'est assurément mon cas.

— Le mien aussi.

— Si tu parles de ce qui s'est produit entre nous il y a neuf ans…

— Non, coupa Ross, je parle de mon propre mariage.

— Tu as été marié ?

— Oui, pendant deux ans, et j'ai divorcé il y a quatre ans.

La stupeur laissa Jennifer sans voix, à moins qu'elle n'ait entrepris d'établir mentalement la chronologie des faits et d'y chercher une explication. Six ans plus tôt, Ross était encore interne, et elle voyait peut-être dans des activités professionnelles trop prenantes la raison de l'échec de son couple.

Quoi qu'il en soit, deux bonnes minutes s'écoulèrent avant qu'elle demande :

— Que s'est-il passé ?

— Ma femme m'a quitté, indiqua Ross en se retournant, un petit sourire d'autodérision sur les lèvres.

— Vous avez des enfants ?

— Non. Nous en voulions, mais nous n'avons pas pu en avoir. Nous nous sommes cependant séparés en bons termes, et nous entretenons toujours des relations amicales.

— Elle est restée à Portland ?

— Oui.

— Et il vous arrive de vous rencontrer ?

— Assez souvent. Elle s'est remariée.

— Avec quelqu'un que tu connais ?

Ross hésita, mais à quoi bon se taire puisqu'il savait qu'il devrait tôt ou tard le dire à Jennifer...

— Avec quelqu'un que je connais très bien, répondit-il. Mon frère.

11.

Jennifer tressaillit et posa les deux pieds par terre pour arrêter le mouvement de la balancelle.

— Lucy ? Tu as été marié avec Lucy ? demanda-t-elle pour être sûre d'avoir bien compris.

— Oui.

La situation était si étrange que Jennifer avait du mal à en saisir d'emblée toute la complexité.

Le visage sombre de Ross lui disait que c'était un sujet douloureux pour lui, mais il y avait malgré tout un point qu'elle tenait à éclaircir.

— Andrew t'a trompé avec Lucy alors que vous étiez encore mariés ?

— Non. Il n'a entrepris de la séduire qu'après le divorce, à un moment où elle avait besoin de soutien et de réconfort. Je n'avais jamais critiqué mon frère devant Lucy, et elle s'est donc laissé prendre à ses airs charmeurs.

— Mais c'était ton ex-femme... Même si elle lui plaisait, il aurait dû s'interdire toute tentative de la conquérir.

— Andrew ne se pose pas de problèmes moraux, tu es bien placée pour le savoir. En ce qui concerne Lucy, soit il est tombé amoureux d'elle — ce qui l'excuserait en partie à mes yeux —, soit il a voulu prouver qu'il pouvait s'attacher une femme que j'avais, moi, été incapable de garder.

La deuxième hypothèse était la plus vraisemblable, songea Jennifer. Ce désir de se montrer supérieur aux autres, et tout particulièrement à Ross, ressemblait bien à l'Andrew qu'elle connaissait.

— Qu'elles soient bonnes ou mauvaises, ton frère avait des raisons pour agir ainsi, observa-t-elle. Ce que je ne comprends pas, c'est pourquoi Lucy a accepté de l'épouser. Elle n'a pas pensé au mal que cela te ferait ?

— Probablement pas, et autant les motivations d'Andrew me paraissent suspectes, autant celles de Lucy sont claires et honorables : son affection pour Andrew s'est transformée en amour, et elle a vu en lui un homme capable de la rendre plus heureuse que moi.

Comment une femme pouvait-elle avoir été malheureuse avec Ross ? se demanda Jennifer. Lucy attendait-elle plus d'un mari que les autres femmes ? Etait-elle du genre à croire qu'il existait toujours mieux ailleurs, sans se rendre compte de la chance qu'elle avait déjà ? Ou bien, Ross s'étant apparemment révélé stérile, avait-elle refusé de recourir à l'adoption et divorcé pour se donner la possibilité de concevoir des enfants ?

Jennifer se rappela la manière dont Ross s'était comporté la veille avec Lucy. Rien dans son attitude ne pouvait laisser penser qu'elle avait autrefois partagé sa vie et son lit, que cette belle-sœur en visite chez lui y avait tenu pendant deux ans le rôle de maîtresse de maison.

Comment Ross parvenait-il à se conduire de façon aussi normale avec une ex-épouse qui, à peine divorcée, était tombée dans les bras de son frère ? Il n'en avait donc gardé aucune amertume, aucune rancœur ? A moins qu'il ne s'oblige à les faire taire pour préserver la paix familiale…

Et qu'avait-il éprouvé en apprenant que Lucy était enceinte ? De la jalousie à l'égard d'un frère qui, contrairement à lui, allait connaître le bonheur d'être père ? Non, il était trop généreux pour nourrir ce genre de sentiment mesquin. La nouvelle qu'une autre femme était enceinte d'Andrew avait dû profondément l'affecter, en revanche : pour un homme qui aimait tant les enfants et ne pouvait pas en avoir, il y avait quelque chose de foncièrement injuste dans le fait que son propre frère en ait engendré deux en l'espace d'une semaine — dont un qu'il refusait de reconnaître par crainte du scandale.

Protagoniste involontaire de cet imbroglio, Jennifer se demanda comment la situation évoluerait dans les années à venir, comment elle expliquerait à son enfant les relations complexes qu'entretenaient les différents membres de la famille Griffin.

— Merci de me l'avoir dit, déclara-t-elle au terme de ses réflexions. Je ne m'en serais jamais doutée.

— Il fallait que tu le saches.

Ross avait parlé d'un ton dégagé, mais il se tourna ensuite de nouveau vers le jardin, signifiant ainsi à Jennifer que le sujet était clos.

La demeure des Griffin se trouvait dans l'un des plus beaux quartiers résidentiels de Portland. Une grande pelouse s'étendait devant, et de hautes rangées d'arbres fermaient sur trois côtés l'immense jardin sur lequel donnait l'arrière de la maison.

Jennifer avait décidé de se rendre au pique-nique du 4 Juillet et, quand elle y arriva avec Ross, la réception avait déjà commencé. Un buffet avait été dressé sur la terrasse, un barbecue géant installé au fond du jardin pour que les odeurs et la fumée ne gênent pas les invités, et une nuée de serveurs passaient avec des plateaux d'amuse-gueules entre les groupes de gens qui bavardaient au son d'un orchestre de jazz.

Si Jennifer avait finalement accepté l'invitation de Katherine, c'était pour avoir l'occasion de revoir Lucy. Maintenant qu'elle connaissait toute l'histoire, la personnalité de cette femme qui avait épousé Ross pour le quitter deux ans plus tard l'intriguait. Curieusement, Lucy l'intéressait plus en tant qu'ex-épouse de Ross qu'actuelle conjointe d'Andrew.

Elle l'aperçut à l'instant même où elle pénétra dans le jardin. Assise à l'ombre d'un arbre avec des amis, la tête penchée sur le côté, Lucy écoutait attentivement ce que disait l'un d'eux. Ce devait être une plaisanterie, car ses paroles déclenchèrent l'hilarité générale. Un sourire s'attarda ensuite sur les lèvres de Lucy, révélant deux rangées de petites dents blanches et, d'un mouvement gracieux, elle écarta de son visage ses longs cheveux noirs.

C'est alors qu'elle vit les deux nouveaux arrivants, et elle les salua de la main d'un geste parfaitement naturel, comme si Ross n'avait jamais été que son beau-frère, et non son mari pendant deux ans.

Jennifer la fixa, comme hypnotisée. Lucy avait des traits fins et aristocratiques, une beauté de top model. Sa robe de soie pêche dessinait joliment son ventre rond, et cette couleur douce faisait ressortir l'éclat de son teint. Il émanait d'elle une aura de séduction qui devait l'avoir toujours entourée : au lycée, tous les garçons étaient sûrement amoureux d'elle, tandis que les filles se sentaient désespérément gauches et immatures en se comparant à elle.

Si c'était ce genre de perfection que Ross recherchait chez une femme, il ne fallait pas s'étonner qu'il ne se soit pas remarié.

— Allons dire bonjour à ma mère, déclara-t-il en prenant le bras de Jennifer.

Confortablement installée dans un fauteuil au bord de la piscine, Katherine Griffin ressemblait à une reine recevant sa cour. Elle paraissait en meilleure santé que la semaine précédente, nota Jennifer, soit que son état se fût vraiment amélioré depuis, soit que cette réception — et le rôle central qu'elle y jouait — lui ait donné un coup de fouet temporaire.

Pendant qu'elle échangeait quelques mots avec Katherine, Jennifer reconnut la silhouette d'Andrew, de l'autre côté de la piscine. Il lui tournait le dos, mais les deux hommes avec qui il discutait lui faisaient face, et l'un d'eux était Brian, leur ancien camarade de lycée.

Le moment viendrait forcément où Andrew et elle devraient se parler, mais la présence d'autres personnes l'obligerait à la traiter avec un minimum de courtoisie.

Ross la guida ensuite vers le maître de maison, Edward Griffin, lequel interrompit sa conversation juste le temps de les saluer. Ils s'éloignèrent donc rapidement, et Ross présenta Jennifer à de nombreuses personnes avant qu'elle n'aperçoive un autre visage familier — celui de Lenora.

Du plus loin qu'elle les vit, cette dernière leur fit de grands signes. Elle portait un cafetan mauve qui ondulait autour d'elle à chacun de ses mouvements et, dès que la jeune femme l'eut rejointe, elle la serra dans ses bras en disant de sa voix chaude et grave :

— Jennifer ! Je suis si heureuse de vous revoir ! Vous êtes ravissante ! Et vous attendez un bébé... Quel bonheur ! Je n'ai jamais oublié les services que vous m'avez rendus l'été où je me suis cassé la cheville... Vous avez aidé Ross à descendre mon lit au rez-de-chaussée, vous avez fait mes courses...

— Ce n'était pas grand-chose.

— Si, et je ne suis pas sûre de vous avoir remerciée comme vous le méritiez. Mon mari venait de me quitter, et j'avais un peu la tête à l'envers, à cette époque-là, mais c'est du passé, Dieu merci ! Il faut absolument que nous dînions ensemble, un de ces soirs...

Lenora se tourna ensuite vers Ross, lui posa quelques questions sur son travail, puis lui demanda s'il avait suivi son conseil de s'inscrire à un cours de yoga. Il secoua la tête, et elle le gronda gentiment :

— Tu as tort, tu sais ! Cela t'apporterait beaucoup plus que tes séances de musculation. L'exercice physique pur n'a pas le moindre intérêt.

— Désolé d'être aussi conformiste ! s'écria Ross avec un grand sourire.

— Si tu continues à soulever des poids et des haltères comme tu le fais maintenant, tu finiras par ressembler à ces horribles obsédés de la gonflette... C'est ça que tu veux ?

Jennifer estimait que Ross n'avait pas à s'inquiéter : il était athlétique, mais sans l'excès de muscles disgracieux que présentait les adeptes du body-building. Elle se tut cependant et essaya de chasser les pensées érotiques que lui inspirait cette discussion sur le physique de Ross.

Selon son habitude, Lenora passa heureusement sans transition à un autre sujet :

— Dites-moi, Jennifer, où comptez-vous avoir votre bébé ? Figurez-vous que la fille de ma meilleure amie a accouché dans son jacuzzi…

Les deux femmes ayant entamé une conversation animée sur les mérites de l'accouchement à domicile, Ross toucha le bras de Jennifer pour attirer son attention.

— Je vous laisse, annonça-t-il. Rejoins-moi quand tu veux.

Il s'éloigna et circula au milieu des invités, s'arrêtant pour saluer une personne ou une autre, mais son regard ne cessait de revenir à Jennifer. Tout en se réjouissant qu'elle s'entende si bien avec Lenora, il se sentait dépossédé, presque jaloux, en la voyant apprécier la compagnie de quelqu'un d'autre que lui.

Au bout d'une demi-heure, n'y tenant plus, il alla lui proposer de l'accompagner au buffet, où grillades et salades en tout genre étaient maintenant servies. Elle lui échappa néanmoins de nouveau après le déjeuner, quand une amie de Lenora insista pour la présenter à une astrologue — dont Ross fut très surpris d'apprendre la présence chez ses parents.

Cette réception commençait à l'ennuyer et, après avoir encore bavardé avec quelques invités, il s'isola sur la terrasse et feignit d'admirer le paysage, mais il avait en réalité choisi ce poste d'observation pour ne pas perdre Jennifer de vue.

Son père surgit soudain à son côté et fit observer :

— La petite lycéenne d'autrefois est devenue une très belle jeune femme.

Ross en conclut qu'il se posait des questions sur la nature de ses relations avec Jennifer.

— Oui, elle est très belle, dit-il, et aussi très courageuse. Elle a traversé de dures épreuves. Sa mère est morte l'automne dernier.

— J'ignorais que vous étiez si proches, tous les deux... Qu'en pense Andrew ?

— Andrew ? Je ne vois pas en quoi cela le concerne ! Il est marié, alors pourquoi se préoccuperait-il de ce que font ses anciennes petites amies ?

— Oui, tu as raison... Combien de temps comptes-tu loger Jennifer ?

— Jusqu'à ce qu'elle trouve un appartement.

— Et si elle n'en trouve pas avant la naissance de son enfant ?

— Eh bien, elle continuera d'habiter chez moi.

— Les gens vont jaser.

Les commérages avaient toujours laissé Ross indifférent et, dans le cas présent, toutes les personnes dont l'opinion lui importait savaient soit qu'il aurait déjà épousé Jennifer si son bébé avait été de lui, soit que ce bébé ne pouvait pas être de lui.

Il haussa les épaules et changea de sujet.

— Maman a l'air mieux, aujourd'hui.

— Ce n'est qu'un air, j'en ai peur. Elle sera épuisée ce soir.

— Veille à ce qu'elle prenne bien ses médicaments et suive le régime préconisé par le cardiologue. La nature fera le reste.

Jennifer, que Ross n'avait pas quittée des yeux, croisa alors son regard. Elle lui adressa un petit signe de la main accompagné d'un sourire, et il lui rendit les deux en la remerciant silencieusement d'épargner à Katherine le choc d'une révélation qui aurait compromis sa santé beaucoup plus sûrement que la fatigue d'une réception.

L'astrologue avait insisté pour dresser l'horoscope de Jennifer. La jeune femme ne croyait pas à ce genre de chose, mais par politesse, et aussi par jeu, elle avait accepté. Un peu nerveuse en arrivant chez les Griffin, elle se sentait maintenant détendue et s'amusait beaucoup plus à ce pique-nique qu'elle ne s'y attendait.

La disparition d'Andrew, après le déjeuner, n'y était sans doute pas étrangère. Elle avait aperçu Ross sur la terrasse, quelques instants plus tôt, mais il n'y était plus, et elle scruta la foule des invités à sa recherche tout en écoutant l'astrologue.

Elle finit par le repérer au bord de la piscine, en compagnie de Lucy, et elle ne put ensuite détacher ses yeux du couple qu'ils formaient. Ils se tenaient à un mètre l'un de l'autre et semblaient échanger des propos anodins, comme ils avaient dû le faire à de nombreuses reprises au cours des années précédentes. Ross, qui ne laissait rien paraître de ses sentiments devant sa famille, les cachait, bien sûr, encore plus soigneusement en public, mais c'était Lucy qui avait demandé le divorce, et il était donc possible que Ross soit encore amoureux d'elle.

Cette pensée, qui lui venait pour la première fois, troubla profondément Jennifer. Dès que l'astrologue eut terminé ses prédictions, elle la remercia et la quitta pour aller rejoindre Ross et Lucy. Voulait-elle les empêcher par sa présence de donner une tournure plus intime à leur conversation, ou seulement profiter de cette occasion pour satisfaire son désir de mieux connaître Lucy ? Elle n'aurait su le dire, mais c'était plus fort qu'elle : il lui fallait rompre leur tête-à-tête.

Lorsqu'elle s'arrêta près d'eux, Ross lui toucha le bras d'un geste amical que sa belle-sœur remarqua, mais sans en faire état.

— Vous êtes contente de votre travail au dispensaire ? demanda-t-elle à Jennifer.

— Oui, très contente.

— Quel emploi occupiez-vous avant de déménager à Portland ?

— J'étais secrétaire dans un magasin de fournitures de bureau. C'était assez ennuyeux, mais cela m'offrait une très bonne couverture sociale.

— D'où venez-vous ? J'ai oublié de vous le demander l'autre jour.

— De Californie.

— Vraiment ? Enfant, je passais toutes mes vacances à Los Angeles. Mes grands-parents y vivaient... Est-ce là que vous habitiez ?

— Non. J'étais à San Francisco.

— C'est une très belle ville, que j'adore même si je n'y suis pas allée depuis des années. Andrew, lui, y a fait un voyage d'affaires en décembre dernier.

Jennifer rougit, mais Lucy ne sembla heureusement pas s'en apercevoir.

— J'ai failli l'accompagner, poursuivit-elle d'un ton enjoué, mais j'y ai finalement renoncé. Je me rappelle qu'il a été obligé de rester là-bas un jour de plus que prévu : l'une des personnes dont il devait prendre la déposition n'était libre que le samedi soir. Cela m'a beaucoup contrariée, parce que c'était juste avant Noël et que j'avais besoin de lui pour m'aider à décorer la maison. J'étais enceinte alors, même si je ne le savais pas encore, et les bouleversements hormonaux de la grossesse m'auraient peut-être amenée à dire des choses que j'aurais ensuite regrettées si Andrew ne m'avait rapporté un magnifique foulard Hermès.

De plus en plus mal à l'aise, Jennifer jeta un coup d'œil furtif à Ross. Malgré son visage impénétrable, elle le sentit tendu. Elle chercha désespérément un moyen de détourner la conversation, mais ne trouva rien, et Lucy lui déclara avec un sourire complice :

— Ces bouleversements hormonaux ont des effets inattendus sur l'humeur, non ? Et j'y pense... C'est à peu près à ce moment-là que vous êtes tombée enceinte, vous aussi, puisque vous devez accoucher...

Les mots moururent sur ses lèvres. Le cœur de Jennifer s'arrêta de battre et elle attendit, pétrifiée, que Lucy aille jusqu'au bout de son raisonnement — si ce n'était déjà fait.

— Puisque vous devez accoucher une semaine seulement après moi, enchaîna-t-elle cependant du même ton et avec le même sourire qu'auparavant. Et combien de temps avez-vous vécu à San Francisco ?

— Neuf ans, répondit Jennifer, et je suis de votre avis : c'est une très belle ville, surtout à la période des fêtes. Les illuminations de Noël y sont spécialement grandioses.

Elle avait conscience de parler pour ne rien dire, de noyer dans ce verbiage la crainte que son interlocutrice n'ait compris la vérité.

Etait-ce le cas ? Elle ne pouvait qu'espérer s'être trompée sur la nature de l'émotion qui avait un instant réduit Lucy au silence.

Lucy prétexta un besoin urgent d'aller aux toilettes pour s'éclipser, et rentra dans la maison à pas prudents. Ses jambes flageolantes menaçaient de se dérober sous elle à tout moment.

Après avoir bu un grand verre d'eau dans la cuisine, elle monta au premier étage en se cramponnant à la rampe, puis s'enferma dans la salle de bains la plus éloignée de l'escalier.

San Francisco... Décembre... Ces mots lui martelaient la tête, obsédants, terrifiants.

Non, c'était impossible... Elle se tourmentait pour rien. Andrew n'était pas le père du bébé de Jennifer.

Et pourtant... L'atmosphère s'était insensiblement tendue quand elle avait commencé à parler de San Francisco. Ross n'avait pas bronché, mais elle le connaissait depuis sept ans, avait été sa femme pendant deux ans, et cela la rendait capable de déceler chez lui des signes de nervosité imperceptibles pour d'autres personnes. Et Jennifer avait rougi, elle s'en souvenait parfaitement.

Lucy s'exhorta à rester calme, à réfléchir au lieu de se livrer à des conclusions hâtives. Andrew lui avait-il donné des raisons de le soupçonner d'infidélité ? Non, aucune. Elle devait donc être victime des bouleversements hormonaux qu'elle avait évoqués tout à l'heure ; ils avaient déclenché une crise de paranoïa qui troublait son jugement et lui faisait voir le mal là où il n'était pas. San Francisco comptait des millions d'hommes, après tout, et Jennifer pouvait être enceinte de n'importe lequel d'entre eux.

Sauf qu'aucun de ces hommes n'avait été son petit ami au lycée, et que les dates concordaient : Andrew était allé à San Francisco trente-huit semaines exactement avant le jour où Jennifer devait accoucher. Elle avait en outre déménagé à Portland au milieu de sa grossesse et s'était installée chez le frère d'Andrew... Quelle autre raison l'y aurait poussée si ce n'était la volonté de reprendre contact avec le père de son bébé ?

Lucy fixa sans le voir son reflet dans la glace. Elle posa les deux mains sur son ventre, où grandissait l'enfant qu'elle avait tant désiré et dont le père lui apparaissait maintenant sous les traits d'un vil séducteur...

Qu'allait-elle faire ?

Une demi-heure s'était écoulée depuis que Lucy était rentrée dans la maison, et elle n'avait toujours pas reparu. Les invités commençaient à partir, et l'inquiétude de Ross augmentait de minute en minute. Il savait Lucy capable de maîtriser ses émotions, au point d'avoir compris la vérité sans que cela se voie à son comportement.

Il aurait dû détourner la conversation dès qu'elle s'était mise à parler de San Francisco, mais il suivait alors le fil de ses propres pensées. L'image de son frère et de Jennifer couchés dans le même lit s'était imposée à son esprit, et un mélange de jalousie et de rage impuissante l'avait submergé. En mentant à Jennifer, en trahissant la confiance de Lucy, Andrew avait réussi l'exploit de bouleverser en une nuit la vie de deux femmes qu'il ne méritait ni l'une ni l'autre.

Quand Ross était revenu à la réalité, il était trop tard : Lucy avait tous les éléments nécessaires pour deviner l'identité de l'homme dont Jennifer était enceinte.

— Il faut que j'aille vérifier si Lucy va bien, dit-il à cette dernière. Attends-moi là.

A part la cuisine où le traiteur et ses employés s'activaient encore, le rez-de-chaussée était désert. Ross monta l'escalier et trouva ouverte la porte des deux salles de bains ainsi que celle de toutes les autres pièces sauf une — l'ancienne chambre d'Andrew.

Il y frappa et, après un long moment de silence, la voix de Lucy se fit entendre :

— Entrez !

Plein d'appréhension, Ross obéit. Lucy était assise sur le lit, les yeux rouges, serrant entre ses doigts un mouchoir en papier tout froissé. Il referma la porte et s'adossa au vantail. Comme il s'en était douté, Lucy avait reconstitué les faits, et sa douleur lui brisait le cœur, mais il ne comptait pas confirmer ses soupçons avant qu'elle ne le lui ait demandé.

— Je pense avoir tout compris, déclara-t-elle d'une voix saccadée, mais j'ai besoin d'une certitude. Est-ce Andrew le père du bébé de Jennifer ?

12.

Lucy roula pendant une heure sur de petites routes de campagne où la circulation était quasi inexistante. Fort heureusement d'ailleurs car ses yeux ne cessaient de s'embuer de larmes. Elle aurait voulu se perdre, pour ne jamais avoir à rentrer chez elle.

Le jour commençait à décliner lorsqu'elle regagna finalement son domicile. La voiture de son mari était dans le garage, et elle constata que le moteur était encore chaud en mettant la main sur le capot, comme elle l'avait vu faire dans les films. Ils avaient pris chacun leur véhicule pour se rendre au pique-nique, d'où Andrew était parti juste après le déjeuner prétextant qu'il avait du travail en retard… Etait-il vraiment allé au bureau, ou avait-il eu une autre raison pour quitter si tôt la réception ? Lucy, de toute façon, n'avait pas l'intention de lui poser la question ; elle ne s'en sentait pas le courage.

En ouvrant la porte, l'impression qu'elle ressentit de pénétrer dans une maison étrangère la déconcerta. Elle avait redouté ce moment, mais sans s'imaginer que ce cadre familier lui apparaîtrait soudain comme une coquille vide, un lieu froid et hostile.

Lucy trouva Andrew dans son bureau.

— Tu as passé un bon après-midi ? demanda-t-il en levant les yeux de son écran d'ordinateur.

Elle le considéra en silence. Il ne semblait pas se douter de ce qui l'attendait. Ni son visage ni son attitude ne trahissaient la moindre inquiétude, le moindre sentiment de culpabilité. Il ne différait en rien de l'homme avec qui elle était mariée depuis deux ans, et la conclusion qu'elle en tira acheva de l'anéantir : elle ne le connaissait pas. C'était un excellent comédien, et elle ne l'aurait jamais démasqué si la preuve de sa duplicité ne lui avait été apportée au détour d'une conversation. Depuis combien de temps jouait-il les époux aimants et attentionnés pour mieux la tromper ? Depuis le début de leur mariage, peut-être... Comment savoir ?

— Je suis au courant, déclara finalement Lucy.

— Au courant de quoi ? demanda Andrew sans ciller.

— De ta liaison avec Jennifer Burns. C'est toi le père de son enfant.

Une expression de stupeur digne d'un grand acteur se peignit sur les traits d'Andrew, puis il se mit à rire, du rire incrédule d'une personne accusée d'une faute aussi énorme qu'imaginaire.

— Qui t'a raconté ça ? s'écria-t-il.

— Peu importe... C'est vrai ou c'est faux ?

— C'est faux, naturellement !

Il n'y avait dans la voix d'Andrew ni la véhémence excessive ni l'agressivité du menteur poussé dans ses derniers retranchements. Il parlait sur un ton calme, vaguement amusé, et sans montrer aucun signe de nervosité : il n'avait pas rougi, pas bredouillé, pas baissé les yeux pour éviter le regard de son interlocutrice.

Et si elle faisait semblant de le croire ? songea Lucy. Les choses seraient tellement plus simples ! Ils reprendraient leur ancienne existence comme si de rien n'était, et peut-être finirait-elle même par se persuader qu'Andrew était bien l'homme intègre qu'elle avait vu en lui jusqu'à ce jour.

Ce moment de faiblesse ne dura cependant pas. Elle préférait mourir plutôt que de vivre dans le mensonge.

— Qui t'a raconté ça ? répéta Andrew, l'air sincèrement curieux.

— Ross. C'est Jennifer elle-même qui le lui a dit, et pourquoi t'aurait-elle désigné comme le père de son bébé si tu ne l'étais pas ?

— Pour me soutirer de l'argent, évidemment !

— Tu l'as vue récemment ? Avant aujourd'hui, bien sûr...

— Oui, admit Andrew en soupirant. Ross m'a convoqué chez lui le soir de l'arrivée de Jennifer à Portland. Elle voulait me parler et, si je t'ai caché la raison de cette visite, c'était pour que tu ne te fasses pas du souci inutilement.

Lucy se rappelait très bien le soir où son mari s'était rendu chez Ross à une heure très tardive. Elle n'avait pas jugé utile de lui demander pourquoi. Ils n'avaient pas de secrets l'un pour l'autre, pensait-elle alors et, si c'était important, Andrew lui aurait donné des explications sans qu'elle ait à poser de questions.

La conversation promettant d'être longue, Lucy alla s'asseoir dans l'un des fauteuils de cuir noir placés de part et d'autre du bureau.

— Tu ne savais pas, avant ce jour-là, que Jennifer était enceinte ? déclara-t-elle, les yeux rivés sur son mari.

— Non.

— Mais tu l'avais vue à San Francisco.

— Oui, je suis tombé sur elle par hasard en décembre dernier, pendant ce voyage d'affaires d'où je t'ai rapporté le foulard Hermès que tu aimes tant, tu te souviens ? C'est une ancienne camarade de lycée, et nous avons dîné ensemble au restaurant... Il n'y a là rien que de très normal.

— Ce n'est pas juste « une ancienne camarade de lycée » : vous sortiez ensemble, à l'époque.

— Nos relations ne sont jamais allées au-delà du simple flirt : nous nous tenions par la main, je l'emmenais à des soirées, nous nous embrassions... Tout cela était très innocent.

— Ce que tu faisais il y a dix ans ne m'intéresse pas. Je veux juste savoir si tu as couché avec Jennifer à San Francisco.

— Non, répondit Andrew du ton las d'un adulte essayant de raisonner un enfant buté, mais elle a de toute évidence accordé ses faveurs à quelqu'un peu de temps avant ou après notre rencontre.

— Elle doit accoucher trente-huit semaines exactement après cette rencontre.

— C'est elle qui le dit !

Lucy avait déjà envisagé la possibilité que Jennifer mente à propos de la date prévue pour la naissance. Elle pouvait être enceinte de cinq mois seulement, ou de sept : toutes les femmes ne prenaient pas le même poids pendant leur grossesse. Mais Ross, lui, la croyait sur parole, et Lucy avait une telle confiance dans son jugement qu'après leur conversation, elle ne soupçonnait plus la bonne foi de Jennifer.

— Quand son bébé sera né, un test ADN permettra d'établir l'identité du père, dit-elle.

— Elle sera partie depuis longtemps. Lorsqu'elle comprendra que je ne céderai pas à ses tentatives de chantage, elle disparaîtra avant que ce test ne dévoile sa machination.

— Pourquoi as-tu attendu pour me parler de tout cela que je l'apprenne par d'autres voies ?

— Je ne voulais pas t'inquiéter. Je pensais que Jennifer renoncerait vite à son plan, mais je me suis trompé, visiblement...

Au bord des larmes, mais trop fière pour montrer sa détresse à Andrew, Lucy se leva et quitta la pièce. Ce ne fut qu'une fois dans sa chambre et après avoir fermé la porte à clé qu'elle s'autorisa à pleurer.

Le téléphone sonna au moment où Ross sortait de la douche. Il courut décrocher le combiné de sa chambre pour que le bruit ne réveille pas Jennifer, partie se coucher une demi-heure plus tôt.

— Ainsi, tu es allé répéter à Lucy les accusations de Jennifer ? s'écria Andrew, au bout du fil.

— Elle n'a pas eu besoin de moi pour comprendre la vérité.

— Quelle vérité ? Jennifer ment, mais elle a dit quelque chose, cet après-midi, qui a éveillé les soupçons de Lucy, et toi, tu t'es empressé de les confirmer, c'est ça ?

Bien que curieux de savoir ce qui s'était passé exactement entre Lucy et Andrew, Ross ne se sentait pas en droit de le demander.

— Je t'avais prévenu que je ne te couvrirais pas, se borna-t-il à déclarer.

— J'ose espérer que tu as au moins eu le tact de discuter de ça avec elle en privé ?

— Oui, mais maman a remarqué que Lucy n'était pas dans son assiette en quittant la réception, et elle m'a posé des questions.

— Tu lui as tout raconté, à elle aussi ?

— Non. J'ai attribué la mine sombre de Lucy à une petite crise d'angoisse liée à la grossesse, et maman a eu l'air de me croire.

Andrew poussa un soupir de soulagement.

— Tu as eu raison, dit-il, parce que, si cette histoire lui venait aux oreilles, cela pourrait avoir des conséquences graves pour son cœur.

— C'est en effet pour lui éviter un choc pendant la période délicate de la convalescence que je lui ai menti, mais elle finira par savoir la vérité… D'ailleurs tu devrais t'arranger dès maintenant pour réparer les dégâts que tu as provoqués — en admettant être le père de l'enfant de Jennifer, pour commencer. Si maman voit que tu es capable de gérer la situation en adulte responsable, ce sera pour elle une source de tourment en moins.

— Epargne-moi tes sermons, tu veux ?

Ross, que le souci d'Andrew pour la santé de leur mère avait agréablement surpris, comprit alors son erreur : son frère espérait en fait avoir persuadé Jennifer de partir avant que le scandale n'éclate et ne le contraigne à remplir ses obligations. Les problèmes cardiaques de Katherine lui servaient juste de prétexte pour gagner du temps.

— Si tu n'as pas envie d'entendre mon opinion sur la question, déclara Ross d'un ton froid, ne m'appelle plus !

Sur ce, il raccrocha.

Jennifer se réveilla le lendemain matin fatiguée. Elle avait passé une partie de la nuit à se tourner et se retourner dans son lit avant de sombrer dans un sommeil agité. La pensée de Lucy, de sa douleur maintenant qu'elle connaissait la vérité, ne l'avait pas quittée depuis l'après-midi précédent. Elle avait toujours su que ce moment arriverait, mais il lui causait plus de peine qu'elle ne l'aurait cru.

A en juger par son expression quand il l'avait rejointe dans le jardin après avoir parlé à Lucy, Ross en éprouvait lui aussi un profond chagrin. Ils n'avaient abordé le sujet que brièvement pendant le trajet du retour, mais il n'était pas difficile d'imaginer le malaise qu'il avait ressenti en confirmant à une ancienne épouse devenue celle de son frère, et enceinte de surcroît, que ce second mari avait fait un enfant à une autre femme.

En voyant le visage bouleversé de Lucy lorsqu'elle était ressortie de la maison, la veille, Jennifer avait presque regretté d'être venue demander des comptes à Andrew. Elle trouvait injuste que Lucy et son bébé paient un prix aussi élevé pour quelque chose dont ils n'étaient nullement responsables.

Mais il était trop tard, bien sûr, et elle devait de toute façon penser à son enfant à elle. C'était uniquement pour lui, pour assurer son avenir, qu'elle avait repris contact avec Andrew.

Ross était déjà parti au CHR quand Jennifer descendit dans la cuisine. Elle déjeuna, puis s'installa dans le bureau avec son livre sur la conception de pages web. Il contenait des exercices, et elle s'obligeait à en faire quelques-uns tous les jours, en utilisant l'ordinateur de Ross pour se connecter à Internet.

Au bout d'une heure, le scintillement de l'écran commença à lui donner mal à la tête. Elle regagna la cuisine pour se préparer une tisane, et à peine avait-elle versé l'eau bouillante dans la théière que le timbre de l'entrée retentit. Laissant la tisane infuser, elle alla ouvrir.

Edward Griffin se tenait sur le perron, en costume-cravate et l'air sévère.

— Je suis désolée, mais Ross n'est pas là, lui dit-elle. Il ne rentrera pas de l'hôpital avant ce soir.

— C'est vous que je suis venu voir.

Apparemment cette visite ne le réjouissait pas particulièrement, pensa la jeune femme. Cela pouvait signifier qu'il savait tout, même si elle se demandait bien comment et par qui il aurait pu l'apprendre.

Elle s'effaça pour le laisser passer. C'était un homme d'une taille et d'une carrure imposantes, aux cheveux gris et au regard perçant. Un homme habitué à commander, et à être obéi.

Une fois dans le séjour, il attendit pour prendre un siège que Jennifer se fût assise. Elle s'installa dans le canapé, le dos bien droit, en s'efforçant de se comporter avec la calme assurance qu'une femme comme Lucy aurait affichée dans les mêmes circonstances.

— Andrew m'a téléphoné ce matin pour m'expliquer la raison de votre retour à Portland, commença Edward. Il m'a dit que vous tentiez de lui extorquer de l'argent en prétendant que votre bébé était de lui.

Jennifer comprit aussitôt la manœuvre d'Andrew : il essayait de limiter les dégâts. Lucy devait l'avoir sommé de s'expliquer, la veille, et il avait appelé son père pour donner sa propre version des faits avant que sa femme ou qui que ce soit d'autre n'aient pu révéler la vérité à ses parents. En tant qu'avocat, il savait qu'il était important d'attaquer le premier, mettant ainsi la partie adverse sur la défensive.

Ses mensonges ne resteraient cependant pas crédibles plus de quelques mois, songea la jeune femme pour se rassurer.

— C'est en effet la position qu'il a décidé d'adopter, déclara-t-elle.

— Mais vous pensez vraiment que c'est lui le père de votre enfant ?

Cette remarque la hérissa : Edward avait l'air de croire qu'elle avait eu tant d'amants en décembre dernier qu'il lui était impossible de désigner avec certitude celui dont elle était enceinte.

— Andrew *est* le père de mon enfant, répliqua-t-elle.

— C'est vous qui le dites !

— Si vous m'accusez de mentir juste parce que ma réponse vous déplaît, il était inutile de me poser la question !

— Oui, excusez-moi... Mais dans l'hypothèse où Andrew ne serait pas le père de votre enfant...

— Il l'est.

— Laissez-moi terminer ! Admettons que vous reconnaissiez vous être trompée... Vous partiriez sans faire d'histoires, n'est-ce pas ? Ma femme a le cœur fragile, et, si elle apprend que son fils est victime d'un chantage, elle en sera profondément affectée.

— C'est en reconnaissant m'être trompée que je mentirais, et je n'en ai pas la moindre intention ! s'écria Jennifer.

Edward la considéra un instant en silence, puis sortit un chéquier de la poche intérieure de sa veste. Il le posa sur sa cuisse, l'ouvrit et demanda :

— Combien voulez-vous ? Cinquante mille dollars ?

Cinquante mille dollars... Un tumulte de pensées assaillit la jeune femme à l'idée de posséder une telle somme. Une somme qui aurait permis à sa mère d'être soignée par les plus grands cancérologues du pays et de vivre plus longtemps… Une somme qui, bien investie, donnerait à son enfant la possibilité d'aller dans les meilleures écoles et, plus tard, dans une université prestigieuse…

Mais l'argent et les avantages qu'il procurait ne remplaçaient pas un père, se dit-elle ensuite, et la honte d'en avoir privé son fils ou sa fille en se laissant acheter la poursuivrait toute sa vie si elle acceptait la proposition d'Edward.

— Vous êtes le grand-père de mon bébé, lui déclara-t-elle, les yeux dans les siens.

Il eut un moment d'hésitation, comme si ce lien de parenté lui apparaissait pour la première fois et changeait soudain sa vision des choses. Son visage reprit cependant très vite une expression résolue, et il marmonna en commençant à remplir le chèque :

— Cent mille dollars, d'accord ?

— Non.

— Je ne compte pas vous offrir plus.

— C'est sans importance, parce que je ne veux pas de votre argent. Je préfère vivre avec mon enfant dans un foyer pour sans-abri que de me soumettre à vos exigences.

— Elles n'ont pourtant rien de déraisonnable. Si mon fils a commis une faute…

— Il l'a fait.

— Si c'est le cas, je dois trouver un moyen de la réparer au mieux des intérêts de mes proches. C'est le bonheur d'Andrew qui est en jeu, et aussi celui de Lucy, de leur enfant et de ma femme.

— Je comprends votre point de vue, mais supposons que je m'en aille… Que se passera-t-il le jour où vous aurez la preuve que j'ai dit la vérité ? Je suis seule au monde… Vous voulez que votre petit-fils ou votre petite-fille grandisse sans père, sans grands-parents ni aucune famille ?

Le regard d'Edward se posa brièvement sur le ventre de Jennifer, et ce fut d'une voix mal assurée qu'il observa :

— Vous nous avez tous mis dans une situation impossible.

— C'est Andrew qui a créé cette situation en me cachant qu'il était marié. Elle entraîne de graves conséquences pour son entourage, et j'en suis désolée, mais je n'ai pas pour autant l'intention de partir. Maintenant, excusez-moi, mais il faut que je retourne travailler.

Arrivé dans les locaux de sa société, Edward s'assit derrière son grand bureau d'acajou. Il avait devant lui une journée chargée, et sa visite à Jennifer lui avait déjà fait perdre un temps précieux, mais il devait avant toute chose mettre de l'ordre dans ses idées.

Il ressortit en soupirant le chéquier de sa poche et détacha le chèque libellé au nom de la jeune femme.

Quand Andrew lui avait téléphoné et exposé le problème calmement, rationnellement, il avait compati et décidé que Jennifer devait quitter la ville au plus vite — même s'il fallait pour cela lui verser une grosse somme d'argent et céder ainsi à son chantage. Andrew avait précisé qu'il ne pouvait transformer rapidement en liquidités aucun de ses investissements, et Edward avait accepté de l'aider, comme n'importe quel père l'aurait fait à sa place.

Le refus obstiné que Jennifer avait opposé à son offre l'amenait cependant à mettre en doute la parole de son fils. Si elle accusait à tort Andrew d'être le père de son enfant, par appât du gain, pourquoi aurait-elle laissé passer cette occasion de toucher un montant sûrement beaucoup plus élevé qu'elle n'avait osé l'espérer ? Des deux, c'était donc probablement Andrew qui mentait et, s'il lui avait vraiment caché qu'il était marié, Edward ne pouvait même pas reprocher à Jennifer d'avoir pris sciemment le risque de briser un ménage.

Ce n'était pas la première fois que son fils cadet lui demandait de le tirer d'embarras, mais Edward l'avait toujours fait avec la certitude que son intervention était justifiée, et fondée sur des informations exactes. Aurait-il été trop crédule ?

Pensif, il mit le chèque dans la déchiqueteuse et regarda les lames d'acier le découper en rubans.

Cette fois, Andrew allait peut-être devoir se débrouiller tout seul.

13.

Neuf ans plus tôt

Il m'arrive de me sentir coupable, comme si nous trompions Andrew derrière son dos, Ross et moi. Nos relations sont purement amicales, mais, quand il est dans les parages, j'ai plus envie d'être avec lui qu'avec son frère, et seule, de préférence, pour que nous puissions vraiment discuter.

Nos conversations me stimulent et m'encouragent à lire plus, à réfléchir plus. Il a le don de faire ressortir ce qu'il y a de meilleur en moi, et je repense souvent à sa remarque à propos d'Andrew et de sa bande, le jour où nous avons déménagé le lit de Lenora : « Tu nies ce que tu es en t'abaissant à leur niveau. »

Je sais aujourd'hui qu'il a sur moi l'effet contraire, qu'il me tire, lui, vers le haut, mais j'ai encore une année de lycée devant moi, et je ne veux pas la passer seule dans mon coin, surtout maintenant que j'ai connu le bonheur de me sentir acceptée. Et je ne suis pas sûre que j'aurais encore des amis, si je ne sortais plus avec Andrew.

Le pire, c'est que, même s'il n'y a rien de physique entre Ross et moi, il m'attire de plus en plus. Je le trouvais moins séduisant que son frère, au début, mais j'ai changé d'avis depuis. Il se dégage de toute sa personne une intelligence, une chaleur humaine, une sensibilité qui le rendent plus que beau : fascinant. Je pourrais rester des heures à le regarder, et je crains de le fixer parfois trop intensément ; s'il s'en aperçoit, il comprendra que j'ai le béguin pour lui, et il prendra alors ses distances.

Il m'arrive de souhaiter qu'il soit laid et ennuyeux, et que ma vie redevienne comme elle était avant les vacances, mais ça ne dure jamais longtemps : je me sens trop bien avec lui. Je me demande même comment je supporterai de le voir repartir à l'université, et la fin du mois d'août approche...

Il s'est passé il y a trois jours quelque chose qui a déclenché une série d'événements complètement imprévus. Nous étions tous allés à une fête foraine qui se tenait au bord de la rivière. Il y avait beaucoup de bruit et de lumières, des manèges, des attractions et des marchands ambulants qui vendaient toutes sortes de sucreries. J'étais avec Andrew et sa bande. Ross était là, lui aussi, mais en compagnie de ses propres amis, et j'essayais de ne pas penser au fait qu'il quittait Portland le surlendemain. Je dois dire que la fête m'y aidait : avec Andrew et les autres, nous sommes montés sur la grande roue, nous avons fait plusieurs tours d'autotamponneuses, et l'ambiance était très gaie.

Les choses se sont cependant gâtées quand Kurt, après une absence de quelques minutes, est revenu en annonçant qu'il s'était procuré des joints. Ils ont tous décidé d'aller les fumer dans un endroit tranquille — c'est devenu une habitude chez eux, depuis quelques semaines —, mais j'ai refusé de les accompagner. Je ne touche pas à la drogue, et ce n'est pas très amusant de rester assis à regarder des gens se défoncer.

Je leur ai donné rendez-vous une demi-heure plus tard devant le podium où des orchestres du coin se produisaient, et je suis partie de mon côté. En passant près du stand de jeu de massacre, je suis tombée sur Ross, et il était seul.

— Où sont les autres ? m'a-t-il demandé.

— En train de fumer des pétards.

— Ils n'ont rien de plus intelligent à faire ? s'est-il écrié en levant les yeux au ciel.

Il m'a payé une partie de jeu de massacre, et j'ai gagné un porte-clés orné d'un petit éléphant en peluche. Nous avons ensuite marché le long de la rivière jusqu'à ce que les flonflons et les néons de la fête foraine cèdent la place au silence et à la nuit.

Nous nous sommes accoudés à la rambarde qui borde le chemin, et nous avons continué notre conversation en regardant l'eau couler lentement en contrebas. Nous parlions de Kafka, il me semble, mais j'étais un peu distraite, parce que je m'imaginais sur la grande roue avec Ross au lieu d'Andrew, et comme Andrew avait profité de ce moment pour... Bref, j'étais troublée, mais encore assez lucide pour m'apercevoir soudain qu'aucun de nous deux ne disait rien depuis une bonne minute. Je me suis tournée vers Ross, et je l'ai surpris à me fixer d'un drôle d'air.

— Qu'y a-t-il ? lui ai-je demandé.

Il ne m'a pas répondu. Il a approché son visage du mien et, quand j'ai compris qu'il voulait m'embrasser, je n'ai pas hésité une seconde : je lui ai passé les bras autour du cou de peur qu'il ne change finalement d'avis.

Après, et pendant un long moment, j'ai perdu toute notion de la réalité. Le baiser de Ross m'a transportée dans un autre univers ; il était à la fois tendre et fougueux, doux et passionné...

Et puis, subitement, je me suis rendu compte de ce que j'étais en train de faire : je me donnais du bon temps avec le frère de mon petit ami !

Je me suis brusquement écartée de lui, et j'ai posé la main sur ma bouche comme si ce geste pouvait effacer jusqu'au souvenir de ses lèvres sur les miennes. Mais j'ai su dès cet instant que rien n'en aurait le pouvoir, que je me rappellerais toute ma vie ce baiser et l'exquise volupté qu'il m'avait procurée.

Inquiète, j'ai scruté les alentours. Et si quelqu'un nous avait vus ? Il n'y avait heureusement personne, mais je devais encore m'assurer que Ross garderait le secret.

— Il faut oublier ce qui vient de se passer, lui ai-je déclaré.

— Je doute d'y parvenir.

— Moi aussi, ai-je admis, mais faisons au moins comme s'il ne s'était rien passé.

Il m'a regardée d'un air dur avant de murmurer :

— Je ne comprends pas pourquoi tu tiens tant à Andrew. Vous n'avez aucune affinité, alors pourquoi t'accroches-tu à une relation qui ne t'apporte rien, si ce n'est le privilège douteux d'être intégrée dans sa bande ?

Je me suis demandé s'il n'essayait pas de me dire par là que je devais quitter son frère pour lui. C'était une idée tentante, mais j'ai eu peur de prendre mes désirs pour des réalités : même s'il m'avait embrassée, je ne pouvais pas être sûre que je lui plaisais vraiment. Il avait peut-être cédé à une impulsion aussi soudaine que passagère... Il partait le surlendemain, en plus, et, quoi qu'il prétende, il oublierait vite une gamine de quatre ans sa cadette quand il se retrouverait au milieu d'étudiantes beaucoup plus mûres physiquement et intellectuellement.

Et puis j'étais la petite amie d'Andrew, et cela me gênait : passer ainsi des bras d'un garçon dans ceux de son frère me semblait mal.

Alors, de peur que Ross ne se moque de moi si je lui avouais quand même que j'étais un peu amoureuse de lui, j'ai déclaré d'un ton léger :

— Andrew et ses copains ne sont peut-être pas très intéressants, mais ils ont le même âge que moi, eux.

Il y a eu un long silence, puis Ross a murmuré :

— Oui, tu as raison. Ça ne pourrait pas marcher entre nous.

J'en ai conclu qu'il avait réellement songé à sortir avec moi et, malgré tout ce qui s'y opposait, le fait qu'il y renonce si facilement m'a blessée. Sans doute avais-je secrètement espéré l'entendre dire que notre différence d'âge n'aurait bientôt plus d'importance, que la force de notre attirance l'un pour l'autre nous permettrait d'attendre, et que je devais quitter son frère pour devenir sa petite amie — sinon tout de suite, du moins dans quelques années.

Mon chagrin s'est vite transformé en dépit, puis en colère, et c'est d'un ton glacial que je lui ai annoncé :

— Je vais rejoindre Andrew. Nous sommes convenus de nous retrouver devant le podium, et il doit se demander ce que je suis devenue.

Je suis ensuite partie sans me retourner, et Ross ne m'a ni rappelée ni suivie.

Kurt et Heather étaient au rendez-vous, mais pas Andrew : ils m'ont expliqué qu'il les avait quittés un moment plus tôt pour raccompagner Molly, qui ne se sentait pas bien. Il a mis beaucoup de temps à revenir — il avait crevé sur le chemin du retour, nous a-t-il déclaré. J'étais trop secouée pour m'irriter de sa longue absence. Je n'avais qu'une envie, rentrer chez moi.

Le lendemain était le dernier jour de vacances de Ross. Ses parents m'ont invitée au dîner familial qu'ils avaient organisé pour lui, mais j'ai refusé : je ne me sentais pas le courage de le revoir après ce qui s'était passé entre nous. Andrew n'a pas apprécié, parce qu'il avait dû beaucoup insister auprès de sa mère pour me faire inviter à ce repas et qu'il allait maintenant avoir l'air d'un idiot, mais tant pis pour lui ! Je ne lui avais rien demandé, et je l'ai donc laissé trouver une excuse pour expliquer mon absence.

Et puis, le lendemain, Andrew a rompu avec moi ! Il ne s'est même pas dérangé pour me le dire en face : il m'a téléphoné juste avant que je parte travailler, et m'a annoncé de but en blanc qu'il me quittait.

Cela m'a prise au dépourvu, et j'ai bredouillé :

— Mais… pourquoi ?

— Les choses marchaient bien entre nous, au début, mais nous nous éloignons peu à peu l'un de l'autre. C'est tellement évident que même Ross l'a remarqué.

J'ai tressailli en entendant le nom de Ross. Avait-il parlé à son frère de notre baiser, le soir de la fête foraine ? Mais, dans ce cas, Andrew m'aurait adressé de violents reproches, or il ne semblait pas en colère. Il s'était donc lassé de moi, tout simplement.

— Que t'a dit Ross, exactement ? ai-je déclaré.

— Ecoute, je sais que vous êtes devenus amis, tous les deux, mais je suis son frère, et il prend mes intérêts à cœur.

— Alors c'est lui qui t'a conseillé de rompre avec moi ?

Je n'en croyais pas mes oreilles…

— Non, a répondu Andrew. Il m'a juste demandé de réfléchir à notre relation : avais-je vraiment envie de continuer à sortir avec toi et, dans le cas contraire, pourquoi laisser traîner les choses en longueur ? J'y ai donc réfléchi hier soir, après cette conversation, et je me suis rendu compte que Ross avait raison. Je t'aime bien, mais nous sommes trop différents, alors mieux vaut nous séparer. Comme ça, nous pourrons tous les deux nous trouver quelqu'un qui nous conviendra mieux.

Je n'ai pas discuté. Je n'ai jamais été amoureuse de lui, et j'ai même le sentiment, depuis quelque temps, de lui voir plus de défauts que de qualités.

Ce qui m'a le plus dérangée dans cette rupture, en fait, c'est le rôle que Ross y a visiblement joué.

L'année scolaire a repris, et je n'ai pas mis longtemps à m'apercevoir que mes craintes étaient justifiées : maintenant que je ne sors plus avec Andrew, ses amis et lui me battent froid. Il n'est plus question que j'aille m'asseoir avec eux à la cafétéria… Je déjeune donc seule, comme avant, et c'est même pire qu'avant, parce que les autres élèves sont tout contents de me voir rejetée par un groupe dont ils n'ont, eux, jamais réussi à faire partie. Ils ricanent sur mon passage alors qu'il y a six mois, ils se contentaient de m'ignorer, et qu'ensuite, ils ont recherché mes faveurs. Ces revirements montrent à quel point ils sont immatures et superficiels, mais ça ne me console pas vraiment.

Les choses ne sont donc pas très gaies pour moi au lycée, et à la maison non plus, parce que j'espère toujours que Ross va m'écrire ou me téléphoner, et que les jours passent sans aucune nouvelle de lui.

Il me manque, mais je lui en veux aussi : pourquoi a-t-il poussé Andrew à me quitter ? Il n'avait pas à se mêler de ça, et c'est moi, maintenant, qui en subis les conséquences. Lui, il est reparti à l'université, où il a sûrement beaucoup d'amis. Sans son intervention, je serais encore avec Andrew. Il me faudrait peut-être faire semblant de le trouver amusant et intéressant, mais au moins je ne serais pas seule.

Maman ne sait pas ce qui s'est passé exactement, mais elle sent que je ne vais pas bien, je le vois à son air inquiet quand elle me regarde et à ses gestes de tendresse, plus fréquents et plus appuyés que d'habitude. Je devrais me réjouir d'avoir une mère aussi aimante et compréhensive, au lieu de m'apitoyer sur mon sort, mais tout ce qui m'arrive depuis la fin du mois d'août me rend tellement malheureuse…

En octobre, maman a brusquement décidé d'aller s'installer à San Francisco et, pour une fois, j'ai été contente de déménager. J'avais envie de me retrouver dans un nouveau cadre, de repartir de zéro, en quelque sorte, mais en tirant la leçon de mes erreurs passées.

Et les efforts que j'ai faits pour aller vers les autres ont payé : j'ai maintenant de vrais amis, que j'ai choisis et qui m'ont choisie pour de bonnes raisons.

14.

Quand Ross était rentré de l'hôpital, Jennifer ne l'avait pas informé de la visite matinale de son père.

La sonnette de l'entrée retentit alors qu'ils finissaient de débarrasser la table du dîner, et Ross alla ouvrir. La jeune femme mit alors le lave-vaisselle en route et fit couler de l'eau dans l'évier pour nettoyer les casseroles, si bien qu'elle n'entendit pas ce qui se passait dans le vestibule.

Ross revint au bout d'un moment dans la cuisine et referma la porte derrière lui pour la première fois depuis le départ de Frank. Etonnée, Jennifer se retourna et demanda :

— Qui était-ce ?

— Lucy, et elle est encore là. Elle désire te parler.

— Me parler ?

— Oui, elle a quelques questions à te poser.

Décidément, c'était la journée des visites surprises ! songea Jennifer. Et celle-ci risquait d'être encore moins plaisante que la première...

— Ecoute, Ross, je ne suis pas sûre de...

— Tu n'es pas obligée d'accepter. Je peux lui dire de partir, si tu préfères.

— Elle va m'accabler de reproches ?

— J'en doute. Je lui ai déjà expliqué que tu croyais Andrew célibataire, le jour où vous vous êtes rencontrés à San Francisco.

— Alors je veux bien la voir, dit Jennifer en s'essuyant les mains, mais j'aimerais que tu assistes à cet entretien, si ça ne t'ennuie pas trop. Ta présence me soutiendra moralement et empêchera Lucy de me sauter à la gorge au cas où elle se mettrait quand même en colère contre moi.

Ils échangèrent un sourire un peu contraint, puis se rendirent dans le séjour. Lucy se tenait près de la baie vitrée, plus élégante et gracieuse que jamais dans un ensemble de lin blanc égayé par un collier en or et des boucles d'oreilles assorties. Seuls des cernes très légers, sous ses yeux, révélaient que son calme apparent cachait un profond désarroi.

— Merci d'avoir accepté de me parler, déclara-t-elle à Jennifer, et excusez-moi d'arriver ainsi à l'improviste, mais je suis venue faire des courses à Portland, et... Bref, j'ai besoin de connaître votre version des faits — ou plutôt de l'entendre de votre propre bouche, car Ross me l'a déjà rapportée.

— Je suis désolée, sincèrement désolée pour vous, mais c'est bien Andrew le père de mon bébé.

Lucy cilla, comme sous l'effet d'une vive douleur, mais elle se reprit très vite, et ce fut d'une voix ferme qu'elle observa :

— D'après Ross, il s'est agi d'une simple aventure d'un soir.

— En effet.

— Vous pouvez me dire comment les choses se sont passées ?

— Que voulez-vous savoir ?

— Eh bien, par exemple, est-ce lui qui vous a proposé ce dîner au restaurant, ou le contraire ?

— C'est lui, mais ne restons pas debout... Je vais tout vous expliquer, et cela risque d'être long.

Ils s'assirent tous les trois — Lucy dans un fauteuil, Jennifer et Ross dans le canapé —, et Jennifer raconta sa rencontre avec Andrew dans le centre-ville de San Francisco. Ils avaient échangé des nouvelles, comme deux anciens camarades de lycée contents de se revoir après tant d'années, puis Andrew lui avait demandé sur le ton de la plaisanterie s'il pouvait l'inviter à dîner sans encourir les foudres d'un petit ami jaloux. Sur le moment, elle n'avait pas compris qu'il cherchait ainsi à se renseigner sur sa vie sentimentale, et qu'il avait donc envisagé dès cet instant de la séduire.

— Pourquoi avez-vous accepté cette invitation ? déclara Lucy.

— Parce qu'elle arrivait à un moment où j'avais besoin de compagnie, et peut-être aussi dans l'espoir qu'Andrew s'excuserait de m'avoir quittée si brusquement, autrefois.

— Il l'a fait ?

— Oui.

— C'était très habile de sa part... Et après le dîner ?

Ross s'enfonça dans le canapé et allongea les jambes, mais cette pose nonchalante ne trompa pas Jennifer : elle le sentait mal à l'aise.

Elle lui jeta un rapide coup d'œil pour tenter de savoir ce qu'il pensait, ne lut rien sur ses traits et reporta son attention sur Lucy.

— Après le dîner, répondit-elle, nous sommes allés nous promener dans un parc, puis Andrew m'a raccompagnée chez moi.

— Et vous lui avez proposé de monter boire un dernier verre, c'est ça ?

— Non, c'est lui qui en a eu l'idée.

— Mais vous n'avez pas refusé, et il a finalement passé la nuit avec vous.

— Oui.

Le visage douloureux, Lucy ferma les yeux et se tut. Jennifer respecta son silence et se remémora cette nuit dont, sans l'enfant qu'elle avait conçu, elle n'aurait gardé que des regrets. Elle avait tout de suite eu conscience de commettre une erreur en se donnant à Andrew. La façon impersonnelle, presque mécanique dont ils avaient fait l'amour ne lui avait apporté ni plaisir ni réconfort, et elle n'avait pas été surprise, en se réveillant le lendemain matin, de trouver le lit vide. Andrew était parti comme un voleur et, bien décidée à ne jamais le revoir, elle avait rangé dans un tiroir le morceau de papier sur lequel il avait griffonné un numéro de téléphone.

Et puis, ses règles tardant à arriver, elle avait acheté un test de grossesse qui s'était révélé positif...

Le souvenir de ce moment restait gravé dans sa mémoire. Son existence tout entière avait soudain basculé : rien, désormais, ne serait plus comme avant. L'idée d'avorter ne lui avait même pas traversé l'esprit. Sa mère venait de lui être enlevée, et l'enfant qu'elle attendait lui apparaissait comme le symbole du triomphe de la vie sur la mort. Elle avait de nouveau quelqu'un à aimer, et cette seule pensée lui redonnait force et courage.

La voix de Ross rompit soudain le silence :

— Je crois que ton objectif est atteint, Lucy : tu as pu constater par toi-même que Jennifer disait la vérité. La suite des événements dépend d'Andrew en ce qui la concerne, et de toi en ce qui concerne l'avenir de ton couple.

Il se leva ensuite, et les deux jeunes femmes l'imitèrent. Lucy se dirigea vers la porte d'entrée, mais, avant de l'ouvrir, elle se retourna pour déclarer à Jennifer :

— Je vous crois. Andrew porte l'entière responsabilité de la triste situation dans laquelle nous sommes toutes les deux, et j'en suis vraiment désolée, pour vous comme pour moi.

Jennifer ne trouva rien à répondre, et elle resta immobile sur le perron pendant que Ross raccompagnait Lucy à sa voiture, puis regardait la Mercedes disparaître au coin de l'avenue.

Quand il rejoignit Jennifer, il avait l'air tendu, en colère, mais son expression s'adoucit un peu lorsqu'ils furent rentrés à l'intérieur.

— Ça va ? demanda-t-il.

— Pas trop mal.

— Ça aurait pu être pire.

— Oui, bien pire, même.

— Maintenant, excuse-moi, mais j'ai du travail.

Il se dirigea ensuite vers son bureau, laissant Jennifer en proie à de sombres pensées. Elle avait trouvé très difficile de parler d'Andrew devant lui, mais, en lui demandant d'assister à cet entretien, elle ne se doutait pas que Lucy la soumettrait à un véritable interrogatoire.

Le récit de ce qui s'était passé en décembre dernier à San Francisco pouvait cependant donner lieu à de fausses interprétations. Ross en avait peut-être déduit qu'elle était une femme facile, ou qu'elle n'avait cessé d'aimer Andrew pendant toutes ces années. Elle aurait voulu rétablir la vérité, exposer à Ross les circonstances très particulières qui lui avaient fait répondre aux avances d'Andrew... L'idée qu'il la méprise lui était insupportable.

Rassemblant son courage, elle alla frapper à la porte du bureau.

— Oui ?

Jennifer entra dans la pièce. Assis devant son ordinateur portable, Ross grommela sans quitter l'écran des yeux :

— Tu as besoin de quelque chose ?

— Non. Je viens juste te remercier d'être resté avec moi pendant que je recevais Lucy. Ça a dû te gêner de m'entendre…

— Ce n'est rien ! coupa-t-il en haussant les épaules.

— Il faut que je t'explique…

— Tu n'as aucun compte à me rendre.

— Si. Je veux que tu comprennes pourquoi…

— Désolé, coupa-t-il de nouveau — et plus sèchement encore que la première fois —, mais je n'ai pas vraiment envie de connaître les détails de ta nuit d'amour avec mon frère.

Serait-il jaloux ? s'interrogea la jeune femme. La pensée de cette aventure, même sans lendemain, entre Andrew et elle, le ferait-elle souffrir plus qu'il n'était disposé à l'admettre ?

— Pourquoi j'ai commis la plus grosse erreur de toute ma vie, enchaîna-t-elle cependant comme si de rien n'était. Ma mère me manquait affreusement, et c'était le premier Noël que j'allais passer sans elle. Alors, quand j'ai rencontré Andrew, une personne associée à une période plus heureuse de ma vie, je n'ai pas pu résister à l'envie de chercher auprès de lui un peu de réconfort. Je sais que je n'aurais pas dû — qu'il soit marié ou non, je n'aurais pas dû —, mais il me rappelait des souvenirs qui m'étaient chers…

Le souvenir de l'été où elle avait connu Ross, ajouta-t-elle intérieurement, le souvenir de leurs longues discussions et du baiser qu'ils avaient échangé. C'était lui qu'elle aurait souhaité rencontrer dans une rue de San Francisco, lui avec qui elle aurait souhaité faire l'amour cette nuit-là.

Mais les circonstances rendaient cet aveu impossible. La situation était déjà trop embrouillée, les relations entre Ross, Lucy, Andrew et elle trop compliquées. Sans compter qu'elle ignorait la nature exacte des sentiments de Ross…

C'était même peut-être cela la raison principale de sa volonté de se taire : elle avait peur d'être rejetée.

— Assieds-toi, dit Ross en refermant son ordinateur.

Jennifer s'installa dans un fauteuil, face à lui, et il se pencha en avant, les mains posées à plat sur la table, son beau visage éclairé par la lampe de bureau qui constituait le seul éclairage de la pièce.

— Merci de me l'avoir dit, reprit-il d'une voix douce.

— Je croyais que tu n'avais pas envie d'entendre mes explications ?

— Non, mais j'en avais besoin. Excuse-moi de m'être montré si désagréable.

— Ce n'est pas grave.

— Si, et c'est maintenant à mon tour de m'expliquer… La pensée qu'Andrew et toi avez eu des relations intimes me rend fou.

A court de mots, la jeune femme attendit une suite qui tarda à venir. Ross se leva et alla remettre un livre à sa place sur une étagère avant de continuer, le dos tourné à Jennifer :

— Le lendemain de la fête foraine, j'ai convaincu Andrew de te quitter. J'ai eu tort d'intervenir à ton insu dans ta vie privée, mais je ne supportais pas l'idée de partir en laissant à mon frère le droit de te toucher, de t'embrasser…

Cet aveu provoqua chez Jennifer un curieux mélange d'émotions : du regret parce qu'elle aurait aimé l'entendre neuf ans plus tôt, de la joie parce qu'il s'appliquait encore visiblement au présent, et de l'appréhension parce qu'il allait rendre plus difficile sa cohabitation avec Ross.

— Pourquoi ne m'as-tu jamais ni écrit ni téléphoné ? lui demanda-t-elle.

— Tu me jugeais trop vieux, tu te souviens ? répondit-il en retournant s'asseoir. Et en plus, j'aurais eu l'impression de te voler à mon frère. Je trouvais cela déloyal.

Ledit frère avait fait bien pire en courtisant l'ex-femme de Ross, puis en l'épousant, songea Jennifer. Les relations humaines étaient régies par des règles morales qui les autorisaient ou les interdisaient, mais certaines personnes ne respectaient pas ces règles : elles ne considéraient que leur avantage personnel, sans se soucier des sentiments des autres.

— Andrew, lui, n'a pas eu ce genre de scrupule, souligna Jennifer.

Ross dut lire sur son visage une compassion dont il ne voulait pas, car il changea brusquement de sujet :

— Excuse encore ma rudesse de tout à l'heure. Je m'efforcerai à l'avenir de mieux contrôler mes émotions.

Etant de repos le lendemain, Ross assura quelques heures de permanence au dispensaire, puis déjeuna avec Kyle et Barbara. Il fit ensuite des courses et se rendit à son club sportif pour une séance de musculation avant de rentrer chez lui. Il trouva Jennifer dans la buanderie, en train de laver de la layette.

Melissa était venue lui apporter plusieurs cartons d'affaires ayant appartenu à Emily, expliqua-t-elle en contemplant d'un air attendri les piles de grenouillères, de brassières et autres vêtements de bébé qui attendaient leur tour de passer à la machine.

— Je n'arrive pas à croire qu'Emily ait jamais été assez petite pour porter ça, observa Ross en soulevant un minuscule chausson.

Cette remarque lui valut un sourire et, comme il regrettait encore sa brusquerie de la veille, un bon moyen de se racheter lui apparut alors.

— Si nous allions acheter des meubles d'enfant ? suggéra-t-il. Tu vas en avoir besoin pour ranger tout ça.

— Et où les mettrai-je en attendant d'avoir déménagé ?

— Dans ta chambre, ou dans celle d'à côté. Ce n'est pas la place qui manque, ici !

— Oui, mais j'ai l'intention de les acheter d'occasion, dans des vide-greniers ou par petites annonces.

— Ton bébé sera là dans à peine plus de deux mois, et tu ne trouveras sûrement pas par cette méthode, et en si peu de temps, tout ce qu'il te faut.

— Je n'ai pas les moyens de faire autrement.

— C'est moi qui paierai. Ce sera mon cadeau de naissance.

— J'ai la nette impression que, quoi que je dise, tu suivras ton idée... Je me trompe ?

— Non.

— Il vaut donc mieux que je cède tout de suite ?

— Oui. On y va ?

— D'accord, déclara Jennifer avec un soupir de feinte résignation.

Vingt minutes plus tard, Ross se gara sur le parking d'un magasin de meubles pour enfants installé dans un ancien entrepôt. Il était content d'avoir pu persuader

Jennifer d'effectuer ces emplettes aujourd'hui : dans quelques semaines seulement, elle n'aurait plus ni la mobilité ni l'énergie nécessaires pour s'occuper de ce genre de chose.

Ils entrèrent dans le bâtiment et commencèrent à déambuler dans des allées bordées de commodes, de bureaux et de lits d'enfants de toutes les tailles et de toutes les formes. Il y avait aussi un rayon jouets, et Ross, en passant devant, pensa à ceux que sa mère ne cessait de commander pour le bébé de Lucy. Ses parents ne se doutaient apparemment de rien, et il souhaitait que cette situation dure le plus longtemps possible, mais comme Andrew n'allait certainement pas leur révéler la vérité et que Lucy n'avait rien à gagner à le faire…

Dans la partie réservée aux accessoires pour bébés, il vit une table à langer munie de casiers et de tiroirs qui lui sembla parfaite pour ranger les affaires apportées par Melissa. Il proposa à Jennifer de l'acheter, mais elle objecta aussitôt :

— Ce meuble est très encombrant. Chez toi, les pièces sont vastes, mais, dans un studio, il prendra trop de place.

— Ton appartement ne sera pas aussi petit que tu as l'air de le penser.

— Tu as vu celui que j'étais prête à louer…

— Si tu ne trouves rien de plus grand, je revendrai cette table à l'occasion de mon prochain vide-grenier.

Jennifer se laissa convaincre, mais, une fois devant les berceaux, elle se montra encore plus réticente.

— Ils coûtent tous un prix exorbitant ! s'écria-t-elle. Et je n'en aurai pas l'utilité, de toute façon.

— Comment cela ?

— Mon bébé dormira avec moi.

L'amour qui transparaissait dans la voix et les yeux de la jeune femme bouleversa Ross. Il aurait souhaité lui inspirer un sentiment aussi puissant. Il aurait tout donné, aussi, pour que l'enfant dont ils étaient en train de préparer la venue au monde, soit le leur. Il n'avait jamais autant regretté de ne pouvoir être père que depuis l'installation de Jennifer chez lui.

Et son départ le rendrait affreusement malheureux... Il commençait même à trouver très mauvaise l'idée de l'emmener dans ce magasin, car cela lui avait apparemment rappelé un déménagement dont elle ne parlait plus depuis des semaines.

Ross voulait qu'elle reste sous son toit, qu'il lui suffise pour la voir d'aller de son bureau au séjour ou dans la cuisine.

— J'ai lu dans plusieurs ouvrages qu'il était très bénéfique pour les bébés de dormir avec leur mère, reprit Jennifer en s'éloignant du rayon des berceaux. Qu'en penses-tu, toi ?

— J'avoue ne jamais y avoir réfléchi.

— Mais tu ne crois pas que le fait de sentir la chaleur et l'odeur de sa mère rassure un bébé ? C'est tellement plus sécurisant pour lui que de passer la nuit seul....

— Oui, mais il risque plus de tomber d'un lit que d'un berceau.

— Il existe des systèmes de couchage qui suppriment ce risque.

Après avoir écouté Jennifer développer d'autres arguments encore en faveur de son projet, Ross la considéra un instant en silence, puis posa les mains sur son ventre.

— Le bébé ne bouge pas en ce moment, déclara-t-elle.

— Je sais. J'étais juste en train de me dire qu'il avait beaucoup de chance.

— Pourquoi ?

— Parce qu'il a une mère merveilleuse.

Un sourire éclaira les traits de la jeune femme, mais il fut vite remplacé par une expression de tristesse.

— Un enfant a besoin de ses deux parents, observa-t-elle.

— Sans doute, mais je persiste à penser que le tien a de la chance d'avoir une mère comme toi.

— Merci, murmura Jennifer. C'est le plus beau compliment que tu pouvais me faire.

Les mains de Ross étaient toujours sur son ventre. Il s'était encore arrondi au cours des semaines précédentes, et Ross en percevait la chaleur sous ses doigts.

— Il dort ? demanda-t-il.

— Oui, depuis une bonne demi-heure et, même si je sais qu'il ne peut pas gigoter tout le temps, cette preuve de sa présence me manque.

Ross ne se lassait pas de contempler le visage de la jeune femme, comme illuminé de l'intérieur, quand elle parlait de son bébé. Il avait envie de l'embrasser, mais ce n'était ni l'endroit ni le moment. Et ce ne le serait probablement jamais.

Il sentit monter en lui une colère contre son frère qui ne lui était que trop familière. Jennifer méritait d'être heureuse, d'avoir à ses côtés un homme qui les chérirait, elle et son enfant, qui formerait avec eux une vraie famille. Au lieu de cela, elle devait se battre pour faire reconnaître sa paternité à Andrew, et elle obtiendrait au mieux de lui une aide financière…

Et l'inconséquence de son frère le mettait lui aussi dans une situation douloureuse : Jennifer était revenue dans sa vie, mais dans des circonstances qui leur interdisaient, comme autrefois, de nouer des relations autres qu'amicales.

Quand il lui avait proposé de l'argent pour partir, le jour de son arrivée à Portland, il s'était dit que c'était dans le seul but de protéger des innocents — Lucy, Katherine et Jennifer elle-même. Il y avait cependant une raison moins avouable à son offre : il avait également voulu se protéger d'une souffrance future, car il avait tout de suite su que, si elle restait, il tomberait de nouveau amoureux d'elle et que l'obligation morale de faire taire ses sentiments lui serait plus cruelle encore que neuf ans plus tôt.

Le cœur lourd, il s'écarta de la jeune femme et s'obligea à sourire pour que cette soirée se poursuive comme elle avait commencé : dans la bonne humeur.

— Viens ! déclara-t-il. Nous allons terminer nos achats, et je t'emmènerai ensuite au cinéma. Il faut que tu profites pleinement de tes moments de loisir pendant que tu en as.

Lucy parcourut toutes les pièces de sa maison en réfléchissant une dernière fois à sa décision d'ordonner à Andrew de déménager. Elle regarda les bouquets de fleurs, confectionnés de ses mains, qui ornaient le séjour, les combinaisons de couleurs qu'elle avait choisies pour les murs, le jardin, dehors, dont elle avait conçu le plan avec l'aide du meilleur architecte paysagiste de Vancouver... C'était dans ce cadre qu'elle s'était vue mener une vie de famille calme et heureuse, mais son rêve s'était brisé : son enfant ne connaîtrait pas le bonheur de grandir dans un foyer uni.

Elle était encore partagée entre le désir de rester dans cette maison et celui d'en partir, pour prendre un nouveau départ. Elle l'aimait cependant et ferait en y renonçant un sacrifice qui lui paraissait injuste : c'était Andrew qui avait commis une faute, et c'était donc à lui d'en supporter les conséquences.

Oui, sa décision était la bonne, parce que la seule alternative consistait à continuer de vivre avec Andrew comme s'il ne s'était rien passé, et qu'elle s'y refusait. Il l'avait trahie, et il excluait même toute possibilité de pardon en s'obstinant à le nier.

Lorsqu'il rentra du travail, elle l'attendait dans le vestibule et lui annonça de but en blanc :

— Tu vas devoir t'installer ailleurs.

La surprise le laissa sans voix. Il fronça ensuite les sourcils, l'air de chercher un moyen de retourner la situation en sa faveur. Son esprit d'avocat tentait visiblement de trouver quelque ruse, quelque stratagème pour le tirer de ce mauvais pas, et Lucy eut plus que jamais l'impression d'avoir en face d'elle un homme indigne de sa confiance et de son respect.

— Ma chérie..., murmura-t-il finalement.

Elle le fixa en silence.

— Ma chérie..., répéta-t-il.

— Je ne te reconnais plus le droit de m'appeler ainsi.

— Ecoute, j'ai eu tort de t'avoir caché que j'avais rencontré Jennifer à San Francisco. Disons que j'ai menti par omission, mais ce n'est pas grave au point que tu me chasses...

— Inutile de te fatiguer : je ne veux plus vivre avec toi.

— Tant que Jennifer restera à Portland, je peux le comprendre, mais quand elle sera partie...

— Je doute que cela change quoi que ce soit, déclara Lucy d'un ton ferme.

Andrew tressaillit comme si elle l'avait frappé au visage, mais elle n'avait pas d'autre réponse à lui donner. C'était le père de son bébé, et elle savait que leur séparation aurait de graves répercussions sur la vie de leur enfant. Un enfant qui devrait dire, plus tard : « Mes parents se sont quittés avant ma naissance. » Andrew accepterait-il même de le voir, ou lui refuserait-il son attention et son amour comme il les refusait à l'enfant de Jennifer ?

— Il va falloir prendre des décisions concrètes concernant l'avenir, observa Lucy.

— Tu y as déjà réfléchi ?

— Non, pas encore. Penses-y de ton côté, et tu m'exposeras ensuite tes desiderata.

— Pour que tu les approuves ou non ?

— Exactement. En attendant, tu voudras bien me fournir tes nouvelles coordonnées, au cas où j'aurais besoin de te joindre.

— Je serai au Regency.

L'installation d'Andrew à l'hôtel allait susciter de nombreux commentaires parmi leurs amis et connaissances, songea Lucy. C'était loin d'être la conséquence la plus sérieuse de leur rupture, mais les questions qui lui seraient posées et les explications qu'elle devrait donner la fatiguaient à l'avance. Elle regrettait de ne pas pouvoir partir loin, très loin, et ne plus penser qu'à elle et à son bébé.

— Je sors, annonça-t-elle en prenant ses clés de voiture. Fais tes valises, pendant ce temps. Je reviendrai dans quelques heures.

— Tu comptes changer les serrures ?

— Non. Cette idée ne m'avait même pas effleurée.

— Tant mieux, déclara Andrew, parce que permets-moi de te rappeler que cette maison m'appartient à moi aussi.

Pour toute réponse, Lucy lui lança un regard méprisant. Elle avait les moyens d'engager les meilleurs avocats de la ville et, si c'était la guerre qu'il voulait, il l'aurait.

Elle espérait cependant que les choses n'en arriveraient pas là.

15.

Quand ils sortirent du cinéma, Ross proposa à Jennifer de l'emmener dîner au restaurant. Elle accepta volontiers : ces moments de détente étaient les bienvenus après le stress des jours précédents, et il lui semblait que Ross en avait besoin lui aussi.

Elle avait décidé de passer complètement sous silence la visite d'Edward et son offre qui ne lui faisait pas particulièrement honneur. Elle ne voulait pas que Ross ait mauvaise opinion de son père, et ce d'autant moins que ce dernier avait eu l'air de la croire, à la fin de leur entretien. Cela aurait-il des conséquences sur la suite des événements, et lesquelles ? Jennifer l'ignorait.

Malgré l'heure tardive, ils virent en arrivant devant la maison une grosse BMW rouge garée derrière son break.

— C'est la voiture de ton frère ? demanda-t-elle.

— Oui, répondit Ross en soupirant.

— Mais il n'est pas dedans... Il a la clé de chez toi ?

— Non. Il doit nous attendre sur la terrasse.

Ils contournèrent la maison et trouvèrent Andrew confortablement installé dans une chaise longue au milieu de la pelouse. Il portait une tenue décontractée, mais d'une simplicité étudiée — pantalon de toile kaki, chemise de coton blanc ouverte au col et mocassins de cuir marron.

Jennifer laissa Ross la distancer de quelques mètres afin de pouvoir s'éclipser discrètement au cas où Andrew serait venu dans le seul but de voir son frère.

La température était douce, et la petite brise qui s'était levée en fin de soirée apportait des senteurs de fleurs épanouies et d'herbe fraîchement coupée. Du jardin attenant venait le chuintement familier d'un arroseur automatique, et des bruits étouffés s'échappaient des maisons aux fenêtres ouvertes. C'était le genre de nuit d'été où la distinction entre intérieur et extérieur, famille et simples voisins, n'existait plus.

— Bonsoir, Andrew, dit Ross sans grande chaleur.

L'interpellé grommela quelques mots inintelligibles, puis il prit la canette de bière posée près de son siège et la porta à ses lèvres. Il y en avait plusieurs autres à proximité, mais vides, celles-là.

— Tu as beaucoup bu, à ce que je vois, observa Ross.

— Ouais...

— Beaucoup trop, même : tu m'as l'air d'être complètement ivre.

— Je ne le suis pas encore, mais j'y travaille.

— D'où vient cette bière ?

— De ton réfrigérateur. Je m'ennuyais, et la porte de la cuisine n'était pas fermée à clé.

— Euh... je crois que je vais vous laisser, annonça Jennifer.

— Oui, ça vaut peut-être mieux, dit Ross.

La jeune femme se dirigea vers la terrasse, mais la voix d'Andrew l'arrêta net :

— Non, attends !

— Qu'y a-t-il ? demanda-t-elle en se retournant.

Mais Ross intervint avant que son frère n'ait eu le temps de répondre.

— Désolé, Andrew, mais il n'est pas question que tu parles à Jennifer dans l'état où tu es.

— Je le ferai si j'en ai envie ! Je n'ai pas besoin de ton autorisation ! C'est moi qui suis victime d'un chantage, alors mêle-toi de ce qui te regarde !

Pendant le lourd silence qui suivit, Andrew parut se rendre compte de l'ineptie de ses propos, mais, au lieu de s'excuser, il but une autre gorgée de bière et marmonna :

— Allez au diable, tous les deux !

— Rentre chez toi, Andrew !

— Je ne peux pas. Lucy m'a mis dehors.

Bien qu'elle eût déjà pensé à cette possibilité, Jennifer éprouva un choc. Elle n'était pas venue à Portland pour briser un ménage.

— Je suis navré de l'apprendre, dit Ross.

— Navré ? répéta Andrew. Ça m'étonnerait ! Quoi qu'il en soit, je ne partirai pas avant que Jennifer ait accepté de débarrasser le plancher... Tu m'entends, Jennifer ? Je veux que tu me laisses tranquille, définitivement, et je suis prêt à te donner beaucoup d'argent pour que tu arrêtes de m'embêter avec tes problèmes.

— Tu céderais donc à ce que tu prétends être un chantage ? s'écria Ross.

— Peu importe ! Tout ce que je souhaite, c'est en finir avec cette histoire.

— Et combien es-tu disposé à débourser pour cela ?

— Vingt-cinq mille dollars.

Ross jeta un regard interrogateur à Jennifer, qui haussa les épaules. Edward Griffin lui avait proposé le quadruple de cette somme, et elle l'avait refusé…

— Vingt-cinq mille dollars, lui lança Andrew, contre ta promesse de disparaître et de ne plus jamais reprendre contact ni avec moi, ni avec ma femme, ni avec aucun autre membre de ma famille. Comme ça, Lucy comprendra que tu as menti, et tout s'arrangera entre elle et moi.

— Vingt-cinq mille dollars, hein ? dit Ross, l'air amusé.

— Oui.

— C'est ta dernière offre ?

— Oui.

— Je te trouve bien pingre !

— Une femme qui a tenté de briser ma vie ne mérite pas plus.

— Tu es seul responsable de ce qui t'arrive. Jennifer, elle, s'est contentée de dire la vérité.

— Allez vous faire voir, tous les deux !

— C'est ainsi qu'on t'a appris à négocier, à l'école d'avocats ?

— Ma proposition est donc refusée ?

— Oui, répondit Jennifer.

— Pourquoi ? s'exclama Andrew. En dehors du plaisir évident que tu prends à me persécuter ?

— Les conditions que tu poses sont inacceptables.

— Ah ! je comprends… Tu t'es trouvé un protecteur. Ross te loge, te nourrit, et tu veux profiter le plus longtemps possible de ses largesses… J'aimerais bien savoir pourquoi il se laisse exploiter de cette manière, d'ailleurs !

— Je suis l'oncle de l'enfant, souligna Ross.

— Tu ne vois donc pas que c'est une intrigante ? Déjà, il y a neuf ans, Kurt me disait qu'elle essayait de me mettre le grappin dessus, et il avait raison... Elle se cherchait un beau parti et refusait de coucher avec moi pour mieux me retenir. Il y avait heureusement au lycée des filles moins intéressées, et tout aussi jolies qu'elle...

Jennifer s'obligea à garder son sang-froid. Les insultes d'Andrew ne valaient pas la peine d'être relevées. Elle regrettait seulement qu'il soit le père de son bébé, et elle n'était même plus sûre d'avoir envie qu'il occupe une place quelconque dans la vie de leur enfant.

— Ça suffit, Andrew, déclara Ross doucement mais fermement. Tu es plus ivre que tu ne le penses, et je ne supporterai pas plus longtemps de t'entendre calomnier une femme que tu n'as jamais su apprécier à sa juste valeur.

— Pourquoi es-tu toujours si prompt à la défendre ? Espérerais-tu, par hasard, obtenir ses faveurs en jouant les chevaliers servants ? Oui, c'est ça... Tu l'as recueillie parce que tu as des vues sur elle !

— Tu veux bien aller appeler un taxi pour Andrew, Jennifer ?

La jeune femme hésita.

— Tu ne vas pas le frapper pendant que je serai partie ? demanda-t-elle.

— C'est une idée tentante, je l'avoue, répondit Ross.

— Eh bien, vas-y, frappe-moi ! lui lança son frère d'un ton de défi.

— Non.

— Tu as peur ?

— Pas du tout.

— Alors qu'est-ce que tu attends ?

Andrew se leva et s'approcha de Ross, le menton en avant comme pour s'offrir à ses coups.

— Tout le monde s'est toujours plié à tes caprices, dit Ross sans bouger. Il est grand temps que tu apprennes à tenir compte des besoins des autres.

— Encore un sermon !

— Appelle ça comme tu veux.

— Tu sais ce que je pense ? Je pense que tu résistes à l'envie de me frapper pour ne pas contrarier Jennifer et gâcher ainsi tes chances de la séduire. A ta place, je ne m'en ferais pas pour si peu : j'ai passé une nuit avec elle, et je n'en ai retiré aucun plaisir. C'est un vrai glaçon !

Les mâchoires de Ross se crispèrent. Jennifer fut heureuse de le voir si sensible aux propos injurieux d'Andrew, mais elle ne voulait pas qu'il réponde aux provocations de son frère.

— Ignore-le, lui dit-elle. S'il m'a trouvée froide au lit, c'est parce que j'ai tout de suite regretté d'avoir cédé à ses avances. En plus, il n'a pas été très brillant lui non plus !

Elle n'aurait pas dû dire cela : Andrew s'élança vers elle, les traits déformés par la colère, et il l'aurait sans doute agressée physiquement si Ross ne l'avait arrêté au passage en lui attrapant le bras et en le lui tordant derrière le dos. La jeune femme entendit un craquement, puis Andrew s'effondra sur le sol, remplissant l'air tranquille de la nuit de ses cris et de ses jurons.

— Tu m'as cassé le bras ! hurla-t-il.

— Désolé, dit Ross. Je voulais juste te faire une prise de judo, mais je manque d'entraînement... Je vais t'emmener à l'hôpital. Je te laisserais bien y aller tout seul, mais, avec la quantité d'alcool que tu as dans le sang, tu es un vrai danger public.

— Je vous accompagne, lança Jennifer.

Quand Ross eut immobilisé le bras blessé avec une attelle et une écharpe de fortune, il aida Andrew à monter à l'arrière du 4x4 et lui attacha sa ceinture de sécurité tandis que Jennifer s'installait sur le siège du passager.

Le CHR n'était pas loin. Ross se gara sur le parking des urgences, et ils se dirigèrent tous les trois vers les portes automatiques, Andrew marchant un peu en retrait. Apparemment dégrisé, il restait enfermé dans un silence boudeur que Jennifer trouvait très reposant après la scène violente qui avait eu lieu dans le jardin.

Ross connaissait l'infirmière chargée de classer les patients selon la rapidité d'intervention qu'exigeait leur état. Aucun des médecins de garde n'étant disponible, elle annonça à Ross :

— Vous allez devoir attendre, à moins que vous ne vouliez vous occuper vous-même de votre frère.

— Non, nous ne sommes pas pressés.

— Il y a déjà une dizaine de personnes dans la salle d'attente, alors dépêchez-vous de prendre les sièges qui restent. Je ne sais pas pourquoi, mais c'est le défilé, ce soir !

La pièce était en effet presque pleine lorsqu'ils y entrèrent. Ross et Jennifer s'assirent l'un près de l'autre, et Andrew s'installa en face d'eux.

Un instant rompu par leur arrivée, le silence qui régnait dans la salle retomba ensuite. Ross prit deux magazines sur la table, en tendit un à sa voisine et se plongea dans le second. Il le reposa cependant au bout d'un moment et murmura à Jennifer :

— Puisque je suis là, et plutôt que de perdre mon temps, je vais aller travailler dans mon bureau. J'ai des tonnes de dossiers à mettre à jour. Ça ne t'ennuie pas ?

— Non, pas du tout.

— Tu dois regretter de nous avoir accompagnés. Ces sièges ne sont pas très confortables.

— Ne t'inquiète pas pour moi. Tout va bien.

— Alors à tout à l'heure, dit Ross avant de quitter la pièce.

Jennifer n'était pas mécontente de pouvoir parler seule à seul avec Andrew. Elle commença par l'observer et se demanda quel genre d'homme il serait devenu si le sort s'était montré moins généreux avec lui. Tout lui avait été apporté sur un plateau : la richesse, l'éducation, la beauté… S'il avait eu un gros nez dont ses camarades de classe n'auraient cessé de se moquer, ou de l'acné à l'âge de l'adolescence, peut-être aurait-il été moins arrogant. Mais il n'avait eu à affronter aucune des épreuves, petites ou grandes, qui forgent le caractère et permettent de mûrir. Il était resté aussi égocentrique qu'un enfant gâté.

Un élan de pitié inattendu souleva Jennifer. Elle se pencha vers Andrew et lui dit à voix basse :

— Tu as le choix, tu sais.

— De quoi tu parles ?

— Tu peux regarder les choses en face.

— Quelles choses ?

— La vérité. Tu sais très bien que je ne serais pas là si tu n'étais pas le père de mon enfant.

— Ce n'est vraiment pas le moment de recommencer à m'embêter avec ça ! Mon bras me fait un mal de chien !

Le siège voisin de celui d'Andrew était maintenant libre et, sous l'effet d'une impulsion subite, la jeune femme alla s'y asseoir. Le bébé était en train de s'agiter, et elle saisit la main valide d'Andrew pour la poser sur son ventre. Il ne réagit pas, et même si ce ne devait pas être une expérience nouvelle pour lui — il avait sûrement déjà senti le bébé de Lucy bouger sous ses doigts —, elle en fut surprise. Son frère avait fait plusieurs fois ce geste de lui-même, et il en avait éprouvé une émotion évidente. Andrew, lui, restait indifférent ; ce contact paraissait même l'ennuyer, et il finit par dégager sa main, dont il se servit ensuite pour soutenir son bras blessé. C'était un simple prétexte, un mensonge à ajouter à tous ceux qu'il utilisait pour sauver les apparences ou satisfaire ses envies.

Le cœur de Jennifer se serra à la pensée du contraste entre ses sentiments pour Ross et le mépris qu'Andrew lui inspirait, mais qu'il lui fallait surmonter dans l'intérêt de leur enfant.

Décidant de changer de tactique, elle lui demanda :

— Tu aimes ta femme ?

— Bien sûr !

— Tu l'aimes vraiment ?

— Oui !

— Alors agis en conséquence !

— Il est trop tard.

— Lucy a l'intention de divorcer ?

— Je n'en sais rien.

— Si elle ne t'en a pas parlé, c'est sans doute que sa décision n'est pas prise, tu peux donc encore sauver ton couple.

— Je te dis qu'il est trop tard !

— Vous allez avoir un enfant... Tu ne crois pas que, pour lui, tu devrais faire en sorte que Lucy te pardonne ?

Andrew haussa les épaules.

— C'est tout ce que t'inspire l'idée de fonder une famille avec la femme que tu prétends aimer ? observa Jennifer.

Silence.

— Tu le désirais, cet enfant ? insista-t-elle, certaine d'avoir involontairement touché un point sensible.

— Tu m'agaces, avec tes questions ! Tu étais de meilleure compagnie, à San Francisco !

— J'ignorais alors à quel genre de crapule j'avais affaire... Maintenant, réponds-moi ! Lucy voulait un bébé, mais toi, tu te sentais prêt à devenir père ?

— Non, admit Andrew. J'aurais préféré attendre un peu.

Cela expliquait sans doute son comportement, songea Jennifer. La perspective d'assumer la responsabilité d'un enfant l'inquiétait déjà, alors celle d'en avoir deux devait carrément l'affoler...

— Que cherches-tu exactement, en me harcelant ainsi ? demanda-t-il d'un ton belliqueux, comme s'il regrettait l'aveu qu'il venait de faire. C'est pour tenter de savoir où j'en suis avec Lucy que tu me parles d'elle ? Dans l'espoir d'apprendre que nous allons divorcer et que tu pourras ensuite me convaincre de t'épouser ?

— Moi, t'épouser ? Certainement pas ! Je suis déjà bien assez punie pour avoir accepté de passer une nuit avec toi !

— Lucy l'a bien fait, elle !

— Et regarde où ça l'a menée... Elle découvre au bout de deux ans qu'une autre femme est enceinte de toi et, au lieu de reconnaître ton erreur et de lui demander pardon, tu nies l'évidence. Cela suffirait à beaucoup d'épouses pour engager sur-le-champ une procédure de divorce et, si Lucy n'a pas évoqué cette possibilité, c'est sans doute pour éviter que tu disparaisses totalement de sa vie, et donc de celle de votre enfant.

Le visage fermé, Andrew se leva et se dirigea vers la fenêtre. S'il espérait ainsi couper court à une conversation qui le déstabilisait, il fut déçu, car Jennifer le suivit et reprit :

— Je vais te dire comment je vois l'avenir... Sachant maintenant qu'aucune somme d'argent ne me persuadera de partir, tu ne vas plus faire aucun effort pour te réconcilier avec Lucy, parce que cela t'arrange de te poser en victime : tu auras ainsi un prétexte pour te désintéresser complètement d'un enfant dont tu ne voulais pas au départ. Tu te raconteras, à toi-même et aux autres, qu'à cause d'un petit écart de conduite, ta femme t'a mis dehors et empêché ensuite de jouer ton rôle de père. Ce genre d'histoire est très efficace pour lever des filles dans les bars, mais tu te retrouveras au bout du compte vieux et seul, avec des enfants pour qui tu seras un parfait étranger.

Jennifer marqua une pause afin de laisser à ses paroles le temps de bien pénétrer dans le cerveau d'Andrew, puis elle poursuivit :

— Tu peux choisir une autre voie, celle de l'honnêteté. Reconnais tes torts envers Lucy, et ainsi, même si elle refuse de te reprendre, tu feras partie de ces pères qui n'abandonnent pas leurs enfants après la désunion de leur couple. Quant à celui que j'attends de toi, je ne comprends pas pourquoi tu t'obstines à en nier la paternité. Personne ne te croit, et tu te compliques la vie plus qu'autre chose en t'enfermant dans ton mensonge.

— Oui, tu as sans doute raison, murmura Andrew.

Bien qu'il concédât là un point important, Jennifer savait que c'était en grande partie dû à un affaiblissement de ses défenses. Il souffrait physiquement, et elle ne tirait de cette victoire pas plus de fierté que si elle avait damé le pion à un enfant de cinq ans.

— Que veux-tu de moi ? ajouta Andrew.

— Que tu dises la vérité, pour commencer.

— Et ensuite ?

— C'est à toi d'en décider.

Ils allèrent se rasseoir l'un en face de l'autre, et Ross reparut quelques instants plus tard. Il reprit sa place près de Jennifer, lui passa un bras autour des épaules et demanda :

— Tout va bien, ici ?

— Oui, répondit-elle en se serrant contre lui. Ton frère et moi avons eu une longue conversation.

— Il n'a pas été trop désagréable, j'espère ?

— Non, il est beaucoup plus calme que tout à l'heure. Tu devrais lui casser le bras plus souvent.

Ross esquissa un sourire désabusé.

— Je n'ai pas obtenu un résultat aussi positif la dernière fois qu'il s'est cassé quelque chose à cause de moi.

Intriguée, la jeune femme le regarda d'un air interrogateur, mais, au lieu de s'expliquer, il changea de sujet :

— On m'a dit que ce serait notre tour dans cinq à dix minutes.

Une infirmière vint en effet chercher Andrew peu de temps après et, quand ils furent seuls, Jennifer dit à Ross :

— Je crois que j'ai enfin réussi à lui faire entendre raison.

— Tu m'en vois ravi.

Le visage sombre de Ross démentait ses paroles, et la jeune femme comprit qu'il se sentait menacé.

— Je veux que mon enfant ait un père, souligna-t-elle, mais je ne veux pas être obligée de prendre ce père par la main et de lui apprendre comment bien tenir son rôle. C'est son cœur qui doit guider ses actes, car les enfants perçoivent d'instinct si les sentiments qu'on leur témoigne sont sincères ou non. Et, à bien y réfléchir, je trouve préférable que le mien n'ait pas de père plutôt qu'un père en qui il ne peut pas avoir confiance.

Ross garda le silence, mais Jennifer comprit à son air dubitatif qu'il se demandait si Andrew était capable de s'intéresser à quelqu'un d'autre qu'à lui-même.

— Je vais te dire ce que je veux par-dessus tout, poursuivit-elle. C'est qu'une personne autre que moi ait pour mon enfant un amour inconditionnel, une personne vers qui il pourra toujours se tourner en cas de besoin.

Ce désir, Jennifer le tirait de sa propre expérience : élevée par une mère qui n'avait jamais eu de chance avec les hommes et avait finalement passé seule la majeure partie de son existence, elle avait trop souffert de cette situation pour la faire subir à son enfant. Elle se rappelait le douloureux sentiment d'envie que lui inspiraient ses camarades de classe nées dans des familles « normales », et la crainte lancinante de se retrouver seule au monde s'il arrivait quelque chose à sa mère.

— Ton bébé et toi méritez d'avoir dans votre entourage quelqu'un sur lequel vous pourrez toujours compter, déclara Ross en la fixant intensément.

Etait-ce à lui-même qu'il songeait ? s'interrogea Jennifer. Et qui mieux que lui aurait en effet su donner à son enfant l'affection et le soutien qu'Andrew lui refuserait probablement.

Il aurait été plus simple de demander franchement à Ross s'il était prêt à jouer le rôle de père de substitution.

Mais cela revenait à lui demander de faire pour toujours partie de la vie de son enfant, et donc de la sienne.

Et c'était un pas qu'elle avait peur de franchir.

Andrew regagna la salle d'attente une demi-heure plus tard, le bras plâtré et soutenu par une écharpe. Il avait les traits tirés et l'air épuisé.

— Six semaines de plâtre..., marmonna-t-il. J'avais bien besoin de ça !

Ils quittèrent l'hôpital et, une fois sur le parking, Andrew refusa que Ross l'aide à monter dans le 4x4. En le voyant se battre avec la ceinture de sécurité, Jennifer faillit se porter à son secours. Elle y renonça cependant : il l'enverrait sans doute promener, et l'idée de le toucher lui inspirait de toute façon une sorte de dégoût. Elle s'installa donc à l'avant avec Ross, et le déclic indiquant que la ceinture était attachée finit par retentir.

Après un arrêt à la pharmacie de garde la plus proche pour acheter les antalgiques prescrits à Andrew, Ross prit la direction de l'hôtel du centre-ville où son frère était descendu.

— Ça va aller ? lui demanda-t-il en se garant devant.

— Oui ! Je me sens en superforme !

— Appelle-moi demain pour me donner des nouvelles. Il faudra aussi que tu récupères ta voiture.

— Zut ! Je l'avais complètement oubliée.

— Même si tu t'en étais souvenu, je ne t'aurais pas laissé la reprendre ce soir : ton taux d'alcoolémie est sûrement encore très élevé.

— Quelle sollicitude !

— Ne te fais pas d'illusions : c'est la sécurité des autres qui me préoccupe.

— Alors je pourrais rentrer dans un mur, tu t'en moquerais ?

— Je n'ai pas dit ça.

Andrew descendit du 4x4, claqua la portière derrière lui et disparut sans un mot dans le hall de l'hôtel.

16.

Treize ans plus tôt

Ce n'était pas vraiment une fugue, puisque j'avais l'intention de revenir. J'avais même laissé à maman un mot où je lui donnais ma destination et la raison de mon départ : je voulais voir mon père.

Le trajet de Idaho Falls à Spokane, dans l'Etat de Washington, a duré une éternité : l'autocar s'arrêtait dans chaque ville, et même dans des villages dont je n'avais jamais entendu parler. Je m'étais assise juste derrière le chauffeur, par mesure de sécurité, et j'ai tout le temps gardé le casque de mon baladeur sur les oreilles pour qu'on me laisse tranquille, mais ça n'a pas empêché plusieurs types un peu louches de me demander où j'allais et pourquoi je voyageais seule...

Je viens d'avoir treize ans, et maman m'a donné un cadeau d'anniversaire tellement nul que ça m'a mise en colère. Nous nous sommes disputées, et elle a commencé à critiquer mon père, à dire que c'était sa faute si elle devait élever un enfant seule, en étant obligée d'économiser sur tout.

Je n'ai jamais vu mon père — ou alors j'étais trop jeune pour m'en souvenir aujourd'hui —, mais je suis sûre que les choses ne se sont pas passées comme maman l'affirme. Je suis sûre qu'il m'aimait et qu'il est parti uniquement parce qu'il ne supportait plus de vivre avec elle : elle est vraiment pénible, par moments !

Je suis arrivée à Spokane en milieu d'après-midi. Avant de partir, j'avais consulté l'annuaire du Washington à la bibliothèque municipale, et j'avais donc le numéro de téléphone de mon père, mais je n'ai pas osé l'appeler. Comme j'avais aussi son adresse, j'ai étudié le plan de la ville installé près de l'entrée de la gare routière. La rue où il habite n'était heureusement pas loin : j'ai pu m'y rendre à pied sans risquer de me perdre.

Je me suis ainsi retrouvée devant une jolie maison, séparée de la rue par un jardin pas très grand, mais avec de magnifiques plates-bandes de fleurs et une pelouse bien entretenue. Pour moi qui n'ai jamais vécu que dans de minuscules appartements, c'était une sorte de petit paradis. Je me suis dit que mon père allait m'accueillir à bras ouverts, qu'il m'emmènerait même peut-être dîner au restaurant, et que j'avais eu raison de venir.

En voyant une voiture garée dans la contre-allée, j'ai paniqué pourtant. J'ai rebroussé chemin, les jambes molles, mais au bout de quelques mètres, je me suis traitée d'idiote : je n'avais pas fait tout ce trajet pour renoncer au dernier moment !

Il m'a fallu cinq bonnes minutes pour me décider, mais j'ai finalement pris mon courage à deux mains et j'ai sonné à la porte.

C'est une dame qui m'a ouvert, et ça m'a surprise. Je me demande encore pourquoi, parce que j'aurais dû m'y attendre…

— Oui ? m'a-t-elle dit d'un air interrogateur.

— Je... je voudrais parler à... à Sean Trumbull, ai-je bredouillé.

— C'est mon mari, mais il n'est pas là, et il ne rentrera pas avant ce soir.

Elle m'a ensuite regardée avec attention, et elle a ajouté en fronçant les sourcils :

— Je te connais ?

— Non.

— Ton visage m'est familier, pourtant...

J'en ai conclu qu'elle ignorait mon existence : si elle avait su que son mari avait eu une fille avec une autre femme, elle aurait tout de suite compris qui j'étais.

Une voiture s'est alors arrêtée devant la maison, et deux enfants — un garçon et une fille — en sont descendus. Ils devaient avoir à peu près neuf et onze ans. Ils ont couru se jeter dans les bras de leur mère, et ils menaient visiblement une existence si heureuse, si normale, que j'ai senti des larmes me monter aux yeux.

La pctite fille s'est ensuite tournée vers moi et a demandé :

— Qui c'est ?

Sa mère lui a répondu que j'étais venue rendre visite à son père, puis elle m'a invitée à goûter. Comme je n'avais rien mangé depuis le matin et que j'avais envie de voir l'intérieur de la maison de mon père, j'ai accepté.

J'avais lu des livres qui parlaient de familles où la mère ne travaille pas et accueille ses enfants à la sortie de l'école avec des gâteaux tout juste sortis du four, mais je n'avais jamais connu ça. Ça m'a donc fait drôle de me retrouver attablée devant tout un assortiment de biscuits, de fruits et de boissons — et pas juste du lait, mais aussi du jus de pomme, du thé glacé, du Coca...

Après nous avoir servis, la dame est partie en disant qu'elle revenait dans un moment. Ses enfants m'ont alors demandé d'où j'étais originaire, et je leur ai parlé de l'Idaho. Je n'ai compris que leur mère avait appelé son mari au travail qu'en entendant une voiture se garer dans la contre-allée.

Une portière a claqué, la porte d'entrée s'est ouverte puis refermée, mais il s'est passé plusieurs minutes avant que mon père et sa femme viennent nous rejoindre dans la cuisine.

Mon pouls s'est accéléré quand il a franchi le seuil. Maman n'a aucune photo de lui, mais j'ai tout de suite su que c'était lui : nous nous ressemblons beaucoup, sauf qu'il a les cheveux d'un blond plus clair que les miens.

Le fait de le voir enfin m'a donné le sentiment qu'une nouvelle vie s'ouvrait devant moi. C'était comme une seconde naissance.

Il m'a dévisagée, puis il s'est tourné vers sa femme en disant :

— Non, je ne sais pas du tout qui c'est.

A ce moment-là, mon cœur s'est arrêté de battre. Son regard le trahissait : il mentait, parce qu'il avait peur.

— Je m'appelle Jennifer, ai-je déclaré d'une voix tremblante, et je suis ta fille.

Sa femme a poussé un petit cri, et ses enfants m'ont fixée comme si j'étais une extraterrestre.

Il y a eu un moment de flottement, puis mon père a pointé sur moi un index accusateur et m'a lancé d'un ton froid :

— Je ne sais pas à quoi tu joues, mais je n'ai pas de fille de treize ans prénommée Jennifer. La seule fille que j'aie, c'est Alice, ici présente, alors sors d'ici et ne reviens plus jamais m'ennuyer.

J'ai eu le sentiment que tout s'écroulait autour de moi. Je voulais qu'il m'emmène dîner au restaurant, qu'il me pose des questions sur ma scolarité et mes loisirs... Je voulais qu'il m'aime, et il me chassait en me traitant de menteuse...

Lentement, parce que j'avais peur de tomber si je faisais des gestes trop brusques, je me suis levée, et c'est alors seulement que je me suis rappelé n'avoir jamais précisé, ni à lui ni à sa femme, que j'avais treize ans. J'ai regardé cet homme qui niait être mon père et qui connaissait pourtant mon âge exact, alors que la date de mon anniversaire était dépassée de quelques jours à peine, et je me suis sentie plus seule que je ne m'étais encore sentie de toute ma vie, ce qui n'est pas peu dire.

Sa femme le fixait d'un drôle d'air, comme si cette contradiction l'avait frappée, elle aussi, mais mon père m'a poussée vers la porte, et il m'a même accompagnée jusqu'à la rue — sans doute pour s'assurer de mon départ.

— Je suis bien ta fille pourtant, lui ai-je dit tout en sachant que ça ne m'avancerait à rien.

— Je suis marié maintenant, et j'ai deux enfants qui suffisent à mon bonheur... Tu n'aurais pas dû venir.

Ainsi ma mère avait raison. Il ne voulait pas de moi. Il était sûrement capable d'être un bon père, mais pas pour moi. Ça m'a fait si mal que j'ai cru mourir.

Il a sorti son portefeuille et m'a tendu quelques billets en disant :

— Tiens ! A présent, rentre chez toi et oublie-moi !

J'ai été obligée d'accepter cet argent, parce que je n'en avais pas assez pour acheter mon billet de retour. Je suis donc partie avec, mais je me sentais tellement humiliée, tellement blessée, qu'après avoir tourné le coin de la rue, je me suis immobilisée, complètement désorientée : je ne savais plus où j'étais, ni où je devais aller, ni ce que je faisais là.

Une voiture de police a fini par s'arrêter à ma hauteur. La femme qui conduisait a baissé sa vitre et m'a demandé si je m'étais perdue. Je suis alors sortie de mon hébétude, et j'ai éclaté en sanglots.

Au commissariat, quelqu'un a appelé ma mère, mais, quand on me l'a passée, je n'ai pas pu articuler un mot. Je pensais qu'elle allait me gronder, mais elle a juste dit, d'une voix très douce, comme quand j'étais petite et que je me réveillais en pleurant à cause d'un cauchemar :

— Ce n'est rien, ma chérie... Ce n'est rien. Je suis là.

Le lendemain matin à 6 h 30 Ross descendit et vit par la fenêtre de la cuisine Jennifer en train de couper au sécateur les fleurs fanées d'une plate-bande. Elle s'occupait beaucoup du jardin depuis son arrivée, au point que le jardinier s'était plaint de ne plus savoir quoi faire pendant ses heures de travail.

Tout en mettant de l'eau à chauffer, Ross observa la jeune femme. Son ventre s'arrondissait de semaine en semaine, marquant la progression inexorable de sa grossesse. Son bébé serait bientôt là et, même s'il venait au monde en retard sur la date prévue, Ross avait le sentiment que personne n'aurait eu le temps de se préparer vraiment aux retombées de cette naissance.

Quand la bouilloire siffla, il fit du thé et alla poser deux tasses fumantes sur la table de la terrasse.

— Bonjour ! dit-il.

Le soleil, encore bas sur l'horizon, laissait la maison dans l'ombre, mais il projetait ses rayons sur le jardin et forma une auréole autour des cheveux blonds de Jennifer lorsqu'elle se retourna pour sourire à Ross. Elle ne ressemblait plus du tout à la femme épuisée et désemparée qu'il avait trouvée sur son perron un soir de juin.

Ses tennis blanches humides de rosée marquèrent de leurs empreintes le dallage de la terrasse quand elle vint rejoindre Ross.

— Tu n'arrivais plus à dormir ? questionna-t-il.

— Non.

Elle était toujours debout à l'aube, il le savait. Son dos la faisait souffrir et l'obligeait à changer sans cesse de position pendant la nuit jusqu'à ce que, n'en pouvant plus, elle finisse par se lever.

Obsédé par les événements de la veille, Ross n'avait pas bien dormi, lui non plus. Il n'avait encore jamais vu son frère aussi agressif, et cette violence verbale l'inquiétait d'autant plus qu'elle avait failli dégénérer en brutalité physique sur la personne d'une femme enceinte.

— C'est du thé à la framboise ? déclara Jennifer en prenant une tasse et en s'asseyant.

— Oui, répondit Ross avant de s'installer en face d'elle. Ça te va ?

— Très bien.

La jeune femme but quelques gorgées du liquide brûlant, enleva un brin d'herbe collé à son jean, puis demanda d'une voix un peu hésitante :

— C'est réellement par accident que tu as cassé le bras d'Andrew ?

— Oui et non. Il fallait que je l'empêche de te frapper, et je l'ai arrêté comme j'ai pu, mais je voulais aussi le punir des insultes qu'il t'avait lancées et de la façon dont il te traite en général. Mes années de judo sont cependant loin derrière moi et, quand je me suis rendu compte que j'allais lui faire vraiment mal, il était trop tard... Tu trouves que j'ai été trop dur avec lui ?

— Non, il l'a bien cherché, et je te remercie de m'avoir défendue, même si je regrette de semer ainsi la zizanie entre deux frères.

Que se serait-il passé si Jennifer et Andrew avaient été seuls, la veille au soir ? songea Ross. Elle aurait sans doute réussi à le calmer par la douceur...

Lorsque Ross les avait rejoints dans la salle d'attente, après sa longue absence, Andrew avait l'air contrit. Jennifer lui avait expliqué qu'elle était parvenue à lui faire entendre raison, mais comment s'y était-il prise ? Ross, lui, s'était éclipsé. La simple vue de son frère l'exaspérait. Il était même tellement en colère contre lui que, incapable de se concentrer sur son travail, il avait fini par aller se promener dehors.

— J'aurais peut-être dû vous laisser en tête à tête, quand nous sommes revenus du restaurant, observa Ross. Toi, au moins, tu arrives à garder ton sang-froid avec lui.

— C'est normal. Andrew est ton frère, et sa conduite t'affecte d'autant plus que tu l'aimes. Quoi qu'il fasse, vous restez unis par des liens indissolubles, tandis que moi, il ne m'est rien. Cela me permet de le juger avec un certain recul.

Cette analyse était très juste, songea Ross. Il aimait Andrew, et c'était pour cela qu'il supportait si mal de le voir multiplier les lâchetés et les bassesses.

— Je suis désolée de t'avoir brouillé avec ton frère, reprit Jennifer.

— Ce n'est pas ta faute.

— Je le sais, mais je le regrette quand même.

Ross lui sourit, touché de sa sollicitude alors qu'elle était dans une position beaucoup plus difficile que la sienne.

Le silence qui s'installa ensuite entre eux n'avait rien de tendu. Il reflétait au contraire une entente qui n'avait pas besoin de mots pour s'exprimer. Ross aurait voulu rester là des heures, renoncer à aller travailler pour être avec Jennifer... C'était impossible, bien sûr, mais il pouvait encore prolonger de quelques minutes ce merveilleux moment de calme complicité.

Ses pensées se tournèrent de nouveau vers ce qui s'était passé le soir précédent. Le comportement odieux d'Andrew avait-il ébranlé la volonté de Jennifer ? Espérait-elle encore vraiment trouver en lui la personne aimante et fiable qui l'aiderait à élever son enfant ?

Ross, lui, se sentait prêt à jouer ce rôle et, dans des circonstances normales, il l'aurait proposé à Jennifer. Mais, loin d'être normale, la situation était encore plus compliquée que neuf ans plus tôt.

En comparaison, le fait d'avoir embrassé la petite amie de son frère lui paraissait à présent beaucoup moins grave. Il aurait même dû la prendre à Andrew, au lieu de se laisser paralyser par le doute et le remords.

Mais combien de temps aurait-il réussi à garder Jennifer ? Elle n'avait alors que dix-sept ans... Une fois étudiante, elle aurait mûri, changé, rencontré des garçons plus jeunes que lui et plus intéressants qu'Andrew...

A supposer que leur relation ait duré, cependant, il aurait pu l'épauler quand sa mère était tombée malade, l'aider financièrement et au quotidien pour lui permettre de poursuivre ses études. Elle mènerait maintenant la brillante carrière qui lui était promise, et leur vie à tous les deux serait complètement différente de ce qu'elle était aujourd'hui.

Différente, et sûrement plus heureuse, sauf dans un domaine : Jennifer n'aurait pas eu d'enfant avec lui, et cela se serait peut-être révélé aussi destructeur pour leur couple que pour celui qu'il avait formé avec Lucy.

Quoi qu'il en soit, Jennifer faisait de nouveau partie de son existence et, même s'il ignorait comment leurs relations évolueraient, une chose était certaine : il voulait qu'elle continue à habiter chez lui.

— J'ai réfléchi à ton accouchement, annonça-t-il.

— Ah bon ? dit la jeune femme en levant les yeux vers lui.

— Oui. J'aimerais y assister — pas en tant que médecin, mais pour te soutenir moralement.

Une succession d'émotions passa sur le visage de Jennifer — de la surprise, du plaisir, un soupçon de nervosité —, pour finalement céder la place à un doux sourire.

— Entendu, déclara-t-elle.

Les rayons du soleil avaient à présent atteint l'extrémité de la terrasse, et Ross, songeant à tous ces bébés qui venaient au monde aux premières heures du jour, imagina Jennifer dans deux mois, allongée dans son lit avec son enfant nouveau-né dans les bras tandis que l'aube se levait comme pour accueillir dans la lumière cette petite vie qui commençait.

— Cette maison me semble parfaite pour un accouchement à domicile, observa-t-il. Le cadre est agréable, le quartier tranquille même pendant la journée et, en cas de complication, le CHR est tout proche.

— Si je comprends bien, tu me demandes de rester ici au moins jusqu'à la naissance ?

Et même beaucoup plus longtemps, pensa Ross, mais c'était quelque chose dont ils pourraient discuter plus tard.

— Oui, répondit-il, parce que je ne trouve pas prudent que tu sois seule pendant les dernières semaines de ta grossesse.

L'air pensif, Jennifer garda le silence, et Ross attendit patiemment sa décision.

— D'accord, répondit-elle finalement. Je reste.

17.

Melissa appela Jennifer en début d'après-midi pour l'inviter à venir prendre le thé chez elle. A 16 heures, les deux femmes s'asseyaient devant une table de salle à manger dont Emily avait réquisitionné la moitié pour faire de la peinture. Un bout de langue rose pointait entre ses lèvres tandis qu'elle composait son œuvre à petits coups de pinceau appliqués, et Jennifer la regarda avec attendrissement. Elle se représentait son enfant, dans quelques années, en train de découvrir comme Emily les joies de la création artistique.

— Comment va Frank ? demanda-t-elle finalement à Melissa.

— Bien, mais il aime toujours autant les plantes vertes ! Merci encore de vous en être occupée... J'imagine que vous avez dû passer avec lui plus de temps que Ross.

— Oui, en dehors de ses périodes de repos, il n'est pas souvent à la maison.

— A qui le dites-vous !

— C'est sûrement difficile pour vous de ne pas voir votre fille pendant des journées entières.

— Très difficile. Je supporte déjà mal d'être séparée d'elle pendant une heure, alors douze, vous imaginez... Mais nous sommes d'autant plus heureuses de nous retrouver ensuite, et j'essaie de compenser mes absences en lui consacrant tout mon temps quand je suis là.

— C'est ce que je compte faire, moi aussi, avec mon enfant.

— Combien de semaines reste-t-il avant la naissance ?

— Un peu moins de dix.

— Et où en sont vos préparatifs ?

— Ils ont bien avancé, grâce à vous... Les vêtements de bébé que vous m'avez prêtés sont adorables.

— Je suis contente d'avoir pu vous rendre service, mais je n'ai pas grand mérite : ces affaires attendaient au sous-sol que Kyle et moi nous décidions à donner un petit frère ou une petite sœur à Emily. Comme nous ne sommes pas encore prêts, autant qu'elles servent à quelqu'un !

— C'est tout de même très gentil de votre part.

Après le départ de Ross pour l'hôpital, le matin, Jennifer avait poursuivi le travail de tri et de lavage interrompu la veille. Les cartons de Melissa contenaient plus d'habits qu'il n'en fallait pour changer un bébé trois fois par jour, et la plupart étaient unisexes. Jennifer les avait classés par taille et par saison, le problème étant maintenant de trouver un endroit pour les entreposer.

— Nous avons acheté une table à langer qui comporte beaucoup d'espace de rangement, dit-elle, mais je doute qu'il y en ait encore assez pour mettre tout ce que vous m'avez apporté.

— Ce « nous » désigne Ross et vous ?

— Oui.

— Ainsi, vous êtes allés ensemble faire des courses pour le bébé ? Intéressant...

— En voyant toute cette layette, Ross a eu l'idée de m'offrir quelques meubles d'enfant comme cadeau de naissance, c'est tout ! protesta Jennifer, le rouge aux joues.

A son grand soulagement, Emily créa alors une diversion en laissant échapper son pinceau, qui tomba sur le sol. Jennifer se pencha pour le ramasser et le lui tendit. La fillette la remercia d'un sourire, et Melissa changea ensuite de sujet :

— Y a-t-il autre chose dont vous auriez besoin ?

— Je ne sais pas trop... J'ai trouvé des listes d'accessoires dans des livres et des revues, mais je ne suis pas sûre qu'ils soient tous indispensables.

— Vous avez raison : nous, nous avons acheté beaucoup d'affaires inutiles. Il vous faut cependant absolument un siège auto pour les déplacements en voiture, un porte-bébé — j'adorais me promener avec ma fille tout contre moi, quand elle était petite —, et une poussette munie d'un bon système de protection contre la pluie. J'ai tout cela au sous-sol, et j'irai le chercher dès que j'aurai un moment.

— Merci beaucoup.

— Le jour de notre première rencontre, vous m'avez dit que vous n'aviez aucune expérience des jeunes enfants, et j'ai pensé depuis que vous pourriez peut-être garder Emily de temps en temps, dans les deux mois qui viennent. Elle vous aime bien, et ce serait pour vous une sorte de stage de formation. Je l'ai inscrite dans un centre aéré, mais elle n'y va que trois jours par semaine et, même si je suis très satisfaite de la baby-sitter qui s'occupe d'elle les autres jours, je serais encore plus contente de la savoir gardée par une amie.

Flattée que Melissa la considère comme une amie et la juge assez fiable pour lui confier sa fille, Jennifer accepta avec enthousiasme.

— Je vous paierai, naturellement, précisa Melissa.

— Non, il n'en est pas question.

— Mais, si je ne le fais pas, j'aurai l'impression de vous exploiter.

— M'exploiter, alors que vous me permettez d'économiser des centaines de dollars en me prêtant tous ces vêtements de bébé, sans parler des accessoires qui coûtent sûrement une fortune ? Non, je vous dois bien quelques heures de baby-sitting en échange...

— Bon, je n'insiste pas, déclara Melissa avec bonne humeur.

Elle jeta un coup d'œil à Emily, toujours concentrée sur sa peinture, et reprit :

— Je ne voudrais pas être indiscrète, et vous n'êtes pas obligée de me répondre si vous n'en avez pas envie, mais le père de votre enfant va-t-il au moins vous aider financièrement ?

— Je l'ignore. Ross pense que non, et j'avoue que je commence à me demander s'il n'a pas raison.

— Votre situation semble le toucher de très près...

Après un instant d'hésitation, Jennifer décida de confier son secret à Melissa :

— Vous connaissez le frère de Ross ?

— Andrew ? Alors c'est lui le...

— C'est lui.

— Voilà qui ne doit pas simplifier les choses !

— Non, et elles sont même encore plus compliquées que je ne le croyais au départ, car la femme d'Andrew...

Jennifer laissa sa phrase en suspens. Elle craignait de révéler des informations que Ross, lui, avait préféré passer sous silence.

— Lucy ? demanda cependant Melissa.

— Oui. Ross vous en a donc parlé ?

— Nous avons commencé à travailler ensemble à l'époque de son divorce, et je sais que le mariage de son ex-épouse avec son frère l'a beaucoup affecté, même s'il ne s'en est jamais ouvert à moi. Il n'est pas du genre à étaler ses sentiments...

— Vous avez remarqué, vous aussi ?

Les deux jeunes femmes échangèrent un sourire complice, puis Jennifer se leva pour partir. Elle embrassa Emily et, pendant que Melissa la raccompagnait à la porte, elle conclut :

— Je vous serais reconnaissante de ne pas répéter ce que je viens de vous dire. Cela pourrait finir par arriver aux oreilles des parents de Ross et d'Andrew, or je veux que Katherine Griffin l'apprenne le plus tard possible, à cause de ses problèmes cardiaques.

— Je vous promets de n'en parler à personne, même pas à Kyle.

— Merci.

— Je vous téléphonerai dans quelques jours pour fixer avec vous la date de votre première séance de baby-sitting, mais, si vous avez le moindre souci dans l'intervalle, n'hésitez pas à m'appeler.

Jennifer acquiesça de la tête, heureuse d'avoir trouvé en Melissa une amie et une confidente.

Le jeudi soir, Ross rentra chez lui à 22 heures passées. Après un détour par la cuisine, il alla dans son bureau et y découvrit Jennifer assise devant son ordinateur portable. Le front plissé par la concentration, elle ne l'entendit pas entrer, et il l'observa en attendant qu'elle lève les yeux de l'écran.

Au bout de deux ou trois minutes, cependant, il perdit patience et toussota pour signaler sa présence.

— Oui, une seconde..., marmonna la jeune femme.

Elle appuya sur une touche, puis se pencha en avant pour examiner de plus près le résultat de l'opération.

— Et zut ! s'écria-t-elle.

— Qu'y a-t-il ? demanda Ross.

— Je travaille depuis une heure sur un exercice et je pensais l'avoir réussi, mais j'ai dû me tromper quelque part : je n'obtiens pas du tout le résultat que je voulais.

Ross alla se placer derrière elle et vit dans le livre ouvert sur la table des suites de codes auxquelles il ne comprit rien.

— Je te proposerais bien de t'aider, déclara-t-il, mais je suis nul en informatique.

— Ce n'est pas grave. Il vaut mieux que je trouve toute seule, de toute façon.

— Tu es mal assise, remarqua-t-il. C'est très mauvais pour ton dos.

Il se mit à lui masser les épaules et la nuque. Un frisson la parcourut, et elle demanda :

— Pourquoi fais-tu ça ?

— Parce que tu as l'air toute nouée.

— Je le suis.

— Détends-toi !

— Je n'y arrive pas.

— Qu'est-ce qui t'en empêche ?

Si Jennifer n'avait choisi de se taire, sa réponse aurait été : « Toi », Ross en était sûr. Elle avait cependant raison de garder le silence, car, formulé à haute voix, cet aveu les aurait mis tous les deux dans une situation très embarrassante.

Il n'en continua pas moins son massage, en tentant de se persuader que c'était dans un but strictement thérapeutique. La jeune femme se laissa peu à peu aller, mais elle se figea soudain et posa la main sur son ventre.

— Le bébé s'est réveillé ? dit Ross.

— Oui.

Se rappelant la puissante émotion qui l'avait saisi les deux fois où il avait senti le bébé de Jennifer bouger, Ross ne put résister : il tendit le bras, et ses doigts rencontrèrent une protubérance — un pied ou un coude, dont il suivit le mouvement avec un mélange d'attendrissement et de curiosité. A quoi ressemblerait ce petit être, encore entièrement dépendant de sa mère, et qui affirmait pourtant déjà son autonomie en vivant à son propre rythme ?

— Peut-on jamais s'habituer à quelque chose d'aussi extraordinaire ? observa Ross.

— Non. J'éprouve chaque fois le même émerveillement.

Le bébé cessa bientôt de gigoter, et Ross se remit au travail. Jennifer était à présent complètement détendue, et il l'entendit même pousser un petit soupir de bien-être.

— Tu veux terminer ton exercice ? lui demanda-t-il après un dernier massage de la nuque.

— Non, je le finirai demain, répondit-elle avant d'éteindre l'ordinateur et de refermer le livre.

— Tu as dîné ?

— Oui : poisson, haricots verts, carottes et riz complet. Et toi ?

— Moi aussi, mais j'ai été moins raisonnable que toi sur le plan diététique.

— J'avoue que je suis un peu en manque : il m'arrive de rêver que je mange quelque chose de bien gras et de bien riche.

— Comme du gâteau au chocolat ?

— Tu me fais saliver et, si tu m'en proposais maintenant, je me laisserais certainement tenter.

— Viens !

Ross prit Jennifer par la main, l'emmena dans la cuisine et lui désigna une chaise.

— Que mijotes-tu ? déclara-t-elle en s'asseyant.

— Dans tes rêves, le gâteau au chocolat est accompagné de glace à la vanille ?

— Evidemment !

— J'en étais sûr.

— Ça t'ennuierait de m'expliquer ce que…

— Chut ! Ferme les yeux, et tu ne les rouvriras que quand je te le dirai.

Lorsque la jeune femme eut obéi, Ross sortit du congélateur une barquette de glace à la vanille, et du réfrigérateur une assiette contenant un gros morceau de gâteau au chocolat. Il posa le tout sur la table, prit des couverts dans le tiroir, puis annonça :

— Tu peux regarder !

— Oh ! mon Dieu ! s'écria Jennifer, les yeux écarquillés.

— Je savais que ça te plairait.

Jennifer mit une généreuse portion de glace sur le gâteau et, quand Ross vint s'asseoir en face d'elle après avoir rangé la barquette dans le congélateur, elle en était déjà à sa troisième bouchée.

— Tu veux qu'on partage ? proposa-t-elle d'un air coupable.

— Non, c'est tout pour toi.

— Dis-moi dans quelle pâtisserie tu as acheté ça. Je sens que je vais devenir l'une de ses plus fidèles clientes... après la naissance, naturellement !

— Il ne s'agit pas d'une pâtisserie, mais du restaurant où j'ai dîné ce soir, le Gourmet. Il est réputé pour ses desserts.

— Avec qui y es-tu allé ? demanda la jeune femme.

Cette question avait été posée sur un ton dégagé, mais sans que Ross parvienne à déterminer si c'était par manque de véritable intérêt ou si Jennifer cherchait ainsi à dissimuler sa curiosité.

— Avec mes parents, répondit-il.

— Ah ! Ils vont bien ?

— Oui. L'état de santé de ma mère s'améliore lentement mais sûrement. Quant à mon père, il a profité d'un moment où elle était partie aux toilettes pour m'informer qu'Andrew lui avait parlé de toi et du bébé.

— Il a raconté que je prétendais être enceinte de lui dans le but de lui soutirer de l'argent, c'est ça ?

— Oui.

— Et ton père l'a cru ?

— Il est inquiet. Il ne sait pas trop quoi penser.

Ross avait en fait l'impression que son père, sans vouloir le dire, doutait de la parole d'Andrew après l'entretien qu'il avait eu avec Jennifer. Un entretien qu'elle avait tenu secret, et Ross se demandait pourquoi. Il s'apprêtait à lui poser la question quand elle changea brusquement de sujet.

— Tu ne veux pas m'aider à finir mon assiette ? Je commence à caler.

— D'accord, mais si nous allions nous installer sur la pelouse ? La nuit est magnifique !

Sans attendre la réponse, Ross se leva, prit une deuxième cuillère dans le tiroir de la table et la donna à Jennifer en disant :

— Pars devant, je te rejoins dans une minute.

Il alla chercher une couverture dans le placard du vestibule, éteignit toutes les lumières du rez-de-chaussée, y compris celle de la terrasse, et ce fut à la seule clarté de la lune qu'il s'engagea dans le jardin. Il étala la couverture sur l'herbe, s'allongea dessus et fit signe à Jennifer de l'imiter.

Posant l'assiette par terre, la jeune femme prit la main que Ross lui tendait pour l'aider à s'étendre, et elle la garda ensuite dans la sienne.

Des milliers d'étoiles brillaient dans le ciel le plus noir que pouvait offrir la proximité d'une grande ville. Ross songea qu'il n'aurait pas dû céder à la tentation de les contempler en compagnie de Jennifer, et encore moins l'inviter à se coucher près de lui, parce qu'il percevait la chaleur de son corps dans la fraîcheur de la nuit et que des pensées défendues commençaient à l'assaillir.

Des pensées que la jeune femme semblait partager, et qui avaient le même caractère irrépressible, car, non contente de lui tenir la main, elle entrelaça leurs doigts et se rapprocha de lui.

— Pourquoi ne m'as-tu pas parlé de la visite de mon père ? déclara Ross.

— A quoi bon, puisqu'elle n'a débouché sur rien ?

— Il t'a proposé cent mille dollars... C'est beaucoup d'argent !

— Rien n'aurait pu me convaincre d'accepter ce qu'il exigeait en échange.

A savoir quitter Portland et élever son enfant seule, c'était cela qu'elle voulait dire et non, comme Ross l'aurait tant souhaité, qu'un million de dollars n'auraient encore pas suffi à la persuader de partir sans espoir de jamais le revoir.

Il se souleva sur un coude et observa son beau visage tourné vers le ciel. Elle fit mine de ne pas s'en apercevoir, mais, au bout d'un moment, son regard plongea dans le sien, comme si une force irrésistible l'y avait poussée. Ross entendit son souffle s'accélérer, la sentit frémir quand il l'enlaça...

— Je vais t'embrasser, chuchota-t-il.

— Je sais.

18.

Ross n'embrassa cependant pas tout de suite Jennifer. Il lui caressa d'abord la joue, puis glissa les doigts dans ses cheveux et les referma sur sa nuque. Elle ne le quittait pas des yeux, et il lisait dans ces yeux plus que du désir — une émotion qui venait du cœur.

Ainsi couché sur l'herbe sous le ciel étoilé d'une belle nuit d'été, Ross avait l'impression d'avoir de nouveau seize ans et de tenir dans ses bras sa première petite amie. A cette différence près qu'il n'était plus un adolescent torturé par ses hormones et qu'aucun sentiment de fébrilité ne l'habitait. Il voulait au contraire profiter le plus longtemps possible des moments magiques que procurait l'attente d'un plaisir annoncé. Il voulait aussi prolonger ces instants parce qu'ils lui permettaient d'oublier qu'il en éprouverait plus tard des remords.

— Je croyais que tu allais m'embrasser ? murmura Jennifer.

— Bientôt. Sois patiente !

Un petit grognement de protestation salua cette réponse, et Ross se félicita de ne plus avoir seize ans, sinon il aurait accédé sur-le-champ à cette muette requête, et sans doute perdu du même coup toute lucidité. La réalité se serait effacée, et il aurait donné libre cours à une passion interdite.

D'un geste plein de douceur et de tendresse — les seuls sentiments qu'il pouvait s'autoriser à exprimer —, il entoura le visage de Jennifer de ses mains, posa la bouche sur son front et traça un sillon de baisers le long de sa joue, jusqu'à ce que leurs lèvres se touchent. La jeune femme poussa un gémissement étouffé avant de s'offrir au baiser de Ross dans un élan qui paraissait venir de tout son être.

Malgré l'onde de désir qui le submergea aussitôt, il s'obligea à laisser ses mains sur le visage de sa compagne, pour les empêcher de s'aventurer ailleurs. Il devait se contenter de ce baiser et, très vite, une telle impression de plénitude l'envahit que toute envie d'aller plus loin le quitta. Le fait d'embrasser Jennifer lui suffisait ; il ne pouvait rien imaginer de plus intime ni de plus exaltant que cette étreinte où ce n'étaient pas leurs corps mais leurs cœurs qui se mettaient à nu.

Et la merveilleuse symbiose qui s'était ainsi créée entre eux continua de les unir quand, s'écartant l'un de l'autre comme d'un commun accord, ils se remirent à contempler les étoiles dans le silence de la nuit.

Ross aurait voulu que le temps s'arrête à cet instant précis et, pour ne pas gâcher ces moments de bonheur, il chassa la pensée de la dure réalité qui les rattraperait dès le lendemain.

— Nous avons oublié quelque chose, déclara-t-il en souriant à Jennifer.

— Quoi donc ?

— Le dessert que j'étais censé t'aider à finir.

Lucy était dans le jardin quand Andrew appela. Elle n'avait pas emporté le téléphone sans fil et n'entendit ni la sonnerie retentir dans la maison, ni le répondeur s'enclencher, mais son mari avait laissé un message qu'elle écouta en rentrant à l'intérieur.

— Il faut que nous parlions, Lucy. Je... je veux que les choses s'arrangent entre nous.

Ce n'était pas une surprise : elle s'y attendait. Elle s'était juste demandé combien de temps Andrew attendrait pour prendre cette initiative, mais, maintenant qu'il l'avait fait, elle n'était plus sûre d'avoir envie de renouer le dialogue avec lui. Le seul son de sa voix avait ranimé toute la colère, la douleur et l'amertume qu'elle avait ressenties en apprenant sa trahison.

Elle attendit une heure avant de rappeler le numéro qu'il lui avait donné à la fin de son message. Toutes les chambres du Regency avaient une ligne directe, elle le savait pour avoir passé une nuit dans cet hôtel deux ans plus tôt. Elle était allée avec Andrew à une soirée de bienfaisance qui s'était terminée très tard. Comme c'était l'hiver et qu'ils avaient tous les deux un peu trop bu, elle n'avait pas voulu prendre le risque de rentrer à Vancouver. Emoustillés par l'alcool et par ce changement de plan imprévu, ils n'avaient cessé de rire dans l'ascenseur qui les emmenait dans leur chambre, et ils avaient ensuite fait l'amour avec une passion débridée.

Ce souvenir qu'elle avait toujours chéri mettait à présent Lucy au bord des larmes.

Andrew décrocha à la deuxième sonnerie.

— C'est moi, déclara-t-elle. J'imagine que tu veux me parler de vive voix ?

Ils se fixèrent rendez-vous une heure plus tard, près du bassin d'un parc situé entre les gratte-ciel du centre-ville de Portland et la rivière. Toutes sortes de manifestations y étaient organisées l'été, et les vacances scolaires y amenaient des hordes d'enfants venus chercher là un peu d'espace et de fraîcheur.

Quand Lucy arriva, elle trouva Andrew assis sur le rebord du bassin, le bras droit plâtré et en écharpe. Sa belle-mère lui avait dit qu'il se l'était cassé, mais sans lui donner plus de détails.

Son mari semblait plongé dans la contemplation des enfants qui jouaient autour de lui, et Lucy les observa, elle aussi. Certains paraissaient de nature ouverte et sociable, d'autres se tenaient à l'écart, seuls et les yeux tristes, d'autres encore formaient des bandes qui prenaient un malin plaisir à bousculer et à arroser tout le monde...

Que voyait Andrew quand il regardait ce spectacle ? Lucy aurait aimé pouvoir lire dans son esprit, car, si une même scène leur inspirait les mêmes pensées, alors ils avaient peut-être une chance de sauver leur union. Sinon, il était inutile d'espérer que leurs relations s'améliorent.

Pendant deux ans, Lucy avait cru qu'Andrew partageait ses sentiments et ses valeurs, mais elle se trompait dans un cas comme dans l'autre, puisqu'il lui avait été infidèle. Persuadée qu'il partageait aussi son désir d'enfant, elle n'avait jamais songé à lui poser la question, mais elle commençait à s'interroger : et si l'idée de la paternité l'effrayait ? S'il ne se sentait pas prêt à assumer les responsabilités que cela impliquait ? Il avait cinq ans de moins qu'elle, et la nature donnait en outre aux hommes la capacité de procréer à tout âge. Contrairement aux femmes, ils n'avaient pas cette horloge biologique dont le tic-tac se faisait plus obsédant au fil du temps.

Lucy en était là de ses réflexions lorsque Andrew tourna la tête vers elle et croisa son regard. Elle lut du désarroi dans les prunelles qui la fixaient, mais c'était sur son propre sort qu'il s'apitoyait, elle le comprit immédiatement : la vue de tous ces enfants n'avait éveillé en lui que l'angoisse d'un avenir où il ne pourrait plus tenir compte de ses seuls intérêts.

Sans un mot, d'un simple geste de la main, elle l'invita à la suivre sur le sentier qui longeait la rivière. Elle ne lui demanda pas de nouvelles de son bras, et prit soin de laisser entre eux un espace suffisant pour prévenir tout contact physique avec lui.

Même ainsi, ils pouvaient passer aux yeux des autres promeneurs pour un couple heureux. La robe en tissu léger de Lucy dessinait son ventre rond, et les gens devaient penser qu'ils se réjouissaient tous les deux d'avoir fondé ensemble une famille.

Leurs visages fermés, la façon dont ils évitaient de se toucher et de se regarder auraient révélé à un observateur plus attentif une tout autre réalité, mais il n'en aurait peut-être pas pour autant compris la vérité. L'arrivée prochaine d'un enfant créait souvent des tensions dans un ménage, l'homme se sentant exclu de la relation fusionnelle entre la femme et son bébé. Mais personne n'aurait sûrement deviné que ce ménage-là allait sans doute se briser avant même la naissance de son enfant.

La situation dans laquelle Andrew l'avait mise était si douloureuse, si injuste, que Lucy finit par lui lancer :

— Je suis tellement en colère contre toi que je ne sais même pas pourquoi je suis venue.

— Tu as toutes les raisons de me maudire, murmura-t-il.

Lucy lui jeta un coup d'œil méfiant. Il avait l'air malheureux, mais que cachait sa mine contrite ? Etaient-ce des remords sincères, ou juste le regret d'avoir perdu l'estime de sa femme... et la jouissance de sa belle maison ? Que se passerait-il si elle acceptait de reprendre la vie commune ? Ferait-il des efforts pour s'amender ou bien recommencerait-il à la tromper, en espérant qu'elle ne l'apprendrait pas, cette fois ?

— Si nous restons ensemble — et je dis bien « si » —, comment vois-tu nos futures relations ? demanda-t-elle.

— Je ne sais pas.

— Et Jennifer ? Quels seront tes rapports avec elle ?

— Il n'y a rien entre nous.

— Si, un enfant. *Votre* enfant.

Il y eut un silence, et Lucy eut l'impression qu'Andrew allait enfin admettre la vérité, mais, quand il parla, ce fut pour annoncer :

— Cet enfant n'est pas de moi.

Bien que profondément déçue, Lucy s'obligea à ne pas le montrer.

— Tu mens, dit-elle d'une voix posée, et il suffira d'un test ADN, après la naissance, pour le prouver.

— Jennifer ne fera faire aucun test, parce que c'est son mensonge à elle que cela révélerait. Elle a réussi à vous embobiner, Ross et toi, mais elle finira par comprendre que je ne me laisserai pas intimider. Elle retournera alors en Californie, et nous n'aurons plus jamais de ses nouvelles.

— Tu comptes lui offrir de l'argent pour qu'elle parte plus vite ?

— Bien sûr que non ! Ce serait céder à son chantage, et je n'en ai pas la moindre intention. Oublions Jennifer, à présent ! Ce n'est pas d'elle mais de nous que je souhaite discuter.

— Les deux sujets sont indissociables, car je ne veux pas d'un mari lâche et menteur.

— Je suis venu ici pour essayer de te convaincre une dernière fois de mon innocence et nous donner ainsi une chance de...

— Et moi, j'ai accepté de te voir dans l'espoir que tu avouerais ta faute et t'engagerais à la réparer. Je ne peux envisager de te la pardonner qu'à cette condition, et comme tu t'y refuses... Maintenant, j'ai une dernière question à te poser : m'as-tu trompée avec d'autres femmes que Jennifer ?

— Combien de fois devrai-je te répéter que je n'ai pas couché avec elle ?

— Alors, m'as-tu trompée tout court ?

— Non.

Lucy soupira et alla s'accouder à la rambarde qui surplombait la rivière. A quoi bon continuer d'interroger un homme assez immature pour croire qu'il lui suffisait de nier les problèmes pour les faire disparaître ?

— Cette conversation aura eu pour seul résultat de me conforter dans l'opinion que les choses ne peuvent pas s'arranger entre nous, déclara-t-elle finalement, les yeux fixés sur l'eau qui coulait paresseusement à ses pieds.

— C'est absolument adorable ! observa Ross en soulevant un ensemble composé d'un minuscule T-shirt de coton jaune et d'un short assorti.

— Je t'en prie, ne mets pas tout en désordre ! s'écria Jennifer. Replie ça et passe-le-moi !

Ross obéit. En dehors du chausson ramassé dans la buanderie, quelques jours plus tôt, il n'avait encore jamais manipulé de vêtements de bébé, et il y trouvait un plaisir inattendu. Tout était si petit... Il était impatient de voir le bébé de Jennifer dans l'une de ces tenues.

Ce soir-là en rentrant de l'hôpital, il avait sorti la table à langer de son carton et l'avait montée dans la chambre de la jeune femme. Après un dîner rapide, ils avaient entrepris d'y ranger une partie au moins de la layette prêtée par Melissa, et cela faisait maintenant une heure qu'ils remplissaient tiroirs et casiers.

Le téléphone sonna, et Ross alla décrocher le combiné posé sur la table de chevet.

La voix de Lucy retentit dans l'écouteur, mi-agacée, mi-inquiète.

— Andrew ne cesse de m'appeler depuis le début de la soirée. Il est soûl et me tient des propos que la décence m'interdit de répéter. Nous nous sommes vus aujourd'hui, mais notre conversation a tourné court, et j'ai fini par lui dire que je n'avais l'intention de le reprendre ni dans un avenir proche, ni sans doute jamais.

— Et il a mal réagi, déclara Ross.

— Je n'ai plus aucune confiance en lui, tu comprends ? Il peut aussi bien avoir eu des dizaines de maîtresses en dehors de Jennifer, puisque même elle, il nie l'avoir séduite !

Ainsi, Andrew était redevenu lui-même, songea Ross. Jennifer n'avait donc pas réussi à lui faire entendre raison.

— Et si c'était Jennifer qui mentait, finalement ? remarqua-t-il, plaidant le faux pour savoir le vrai.

— Non, je la crois. C'est une femme bien.

— Je suis du même avis. Maintenant, si tu me disais ce que tu attends de moi ? Tu veux que j'aille parler à ton mari ?

A peine avait-il prononcé ce mot que Ross le regretta. Cela lui rappelait que ce terme ne s'appliquait plus à lui, que Lucy l'avait quitté, pour épouser ensuite un homme dont le seul mérite était de pouvoir lui donner des enfants. Il n'en voulait plus à Lucy, mais son amour pour elle s'était éteint en même temps que son amertume. Leurs relations ressemblaient désormais à celles d'un frère et d'une sœur : il souhaitait qu'elle soit heureuse, mais sans se sentir directement concerné par tout ce qui lui arrivait.

Et Lucy le comprenait, apparemment, car elle ne répondit pas à sa question. Elle devait trouver abusif de demander à son premier époux d'intervenir pour que le second cesse de l'importuner.

Son coup de téléphone constituait cependant en lui-même un appel au secours, et Ross n'eut pas le cœur de lui refuser son aide.

— Je vais rejoindre Andrew au Regency, annonça-t-il.

— Il n'y est pas. C'est d'un bar qu'il m'a appelée.

— D'un bar ?

— Oui, le Del Raye.

— Je le connais. J'y vais tout de suite, et j'essaierai de raisonner Andrew. Je voudrais au moins le persuader de ne pas prendre le volant dans l'état où il est.

Une demi-heure plus tard, Ross entrait dans le bar. Son frère était assis à une table avec une femme très légèrement vêtue, mais il ne paraissait pas lui prêter grande attention. Et elle, de son côté, semblait moins apprécier sa compagnie que la possibilité de se faire offrir à boire : elle ne lui parlait pas et, entre deux gorgées, promenait sur la salle un regard empreint d'un profond ennui.

Andrew n'en était pas moins bel homme et, si l'envie le prenait d'oublier ses déboires conjugaux dans les bras d'une femme, celle-ci se laisserait sans doute facilement convaincre de le suivre à son hôtel ;

Ross alla se planter devant leur table. Andrew l'ignora, mais sa compagne leva la tête vers lui et le fixa d'un air intéressé.

— Si vous voulez bien nous excuser, mademoiselle, lui dit-il.

Le coup d'œil interrogateur qu'elle lança à Andrew obtint pour toute réponse un haussement d'épaules indifférent. Elle prit son verre, se leva et se dirigea vers le bar, ses talons claquant sur le sol dallé.

Après avoir attendu en vain qu'Andrew l'invite à s'asseoir ou réagisse d'une manière quelconque à sa présence, Ross s'installa d'autorité en face de lui. Une serveuse s'approcha, et il commanda une bière. Un jus de fruits ou un soda lui auraient mieux convenu, mais il ne voulait pas avoir l'air d'adresser un muet reproche à son frère en choisissant une boisson non alcoolisée. Cela n'aurait pas fait grande différence, en réalité, car Andrew ne paraissait pas en état de remarquer ce genre de détail.

— Tu boudes parce que j'ai demandé à ton amie de partir ? lui déclara Ross quand ils furent seuls.

Silence.

— Tu avais des vues sur elle ?

— Fiche-moi la paix !

— Tu n'es pas de très bonne humeur, on dirait !

— Occupe-toi de tes oignons !

Andrew souleva son verre et avala deux grandes gorgées d'un liquide incolore, comme de l'eau, mais qui n'en était évidemment pas.

— Comment va ton bras ? s'enquit Ross, décidant de changer de tactique.

— Je souffre le martyre, et tu le sais parfaitement. Tu es médecin, non ? Alors pourquoi m'embêtes-tu avec des questions dont tu connais déjà la réponse ?

— Tu prends tes antalgiques ?

— Oui.

— Il est dangereux de mélanger l'alcool et ce genre de médicament. Tu n'as pas lu la notice ?

— Non.

— Tu aurais dû.

— Tu fais toujours tout bien, et moi, je fais toujours tout mal, c'est ça ?

— Je n'ai pas dit cela.

— Mais tu le penses ! Tu es le grand philanthrope qui soigne gratuitement les pauvres, tandis que moi, j'ai choisi de profiter du malheur des autres en me spécialisant dans les affaires de divorce...

— Tu traites aussi d'autres dossiers.

— Le moins possible : ce sont les divorces qui me permettent de me remplir les poches sans trop me fatiguer.

— Tu es trop dur avec toi-même. Si tu n'étais pas un bon avocat, aucun cabinet sérieux ne t'aurait engagé.

Le retour de la serveuse interrompit la conversation. Elle posa la bière sur la table, jeta un coup d'œil aux deux hommes, et se dépêcha de tourner les talons.

— Même quand tu essaies d'être gentil, tu ne peux pas t'empêcher de prendre un ton condescendant ! s'écria Andrew dès qu'elle fut partie. Tu n'as jamais eu pour moi que du mépris, je le sais très bien !

— C'est faux.

— Tu mens ! Et je suis sûr que tu te réjouis à l'idée de mon prochain divorce... Réussir à épouser une femme qui ne voulait plus de toi a été mon seul moment de gloire, mais elle ne veut plus de moi non plus, maintenant, et tu dois en éprouver une immense satisfaction.

— Pas du tout : je n'ai aucun esprit de revanche. Je regrette au contraire que Lucy n'ait pas trouvé le bonheur avec toi. C'est une personne de valeur, qui mérite d'être heureuse.

— Mais pas moi ?

— Tu avais tout pour l'être... Si tu es malheureux aujourd'hui, c'est par ta propre faute.

Andrew but d'un trait la moitié de son verre, demeura ensuite un moment silencieux, puis il grommela :

— Lucy m'accuse de l'avoir trompée, et elle se servira de ça pour obtenir un divorce à mes torts exclusifs. Elle a les moyens de prendre le meilleur avocat de la côte Ouest, et je me retrouverai sur la paille...

Curieux de savoir comment son frère envisageait l'avenir, Ross le laissa parler. L'alcool déliait les langues...

— A moins que je n'arrive à lui découvrir quelque secret honteux, poursuivit Andrew. Oui, je vais engager un détective privé, et il m'apprendra peut-être qu'elle s'envoie en l'air avec le facteur depuis des années... Qu'en penses-tu ?

Ross se força à rester calme, bien qu'il fût profondément choqué d'entendre son frère insulter ainsi Lucy. Andrew cherchait visiblement à le faire réagir, et il ne voulait surtout pas entrer dans son jeu.

— Engage un détective privé si ça te chante, déclara-t-il, mais ce sera une perte de temps pour lui, et d'argent pour toi.

— Je plaisantais, Ross ! Tu es toujours tellement sérieux, tellement pontifiant...

— Nous n'avons pas le même sens de l'humour, apparemment.

— Tu me crois vraiment capable de charger quelqu'un d'enquêter sur ma femme, la mère de mon enfant ?

— L'un de tes deux enfants.

— Tu ne vas pas recommencer avec ça !

— Pourquoi ? C'est un sujet qui me semble au contraire d'actualité.

— Je te déteste !

Ces mots furent prononcés avec tant de violence que Ross tressaillit. Il regarda Andrew vider son verre et, inquiet malgré lui, fit observer :

— Tu ne devrais pas boire autant. Le mélange alcool-antalgiques...

— Je sais, tu me l'as déjà dit ! Et je n'en suis qu'à ma deuxième vodka, de toute façon !

— C'est déjà beaucoup trop. Tu te fais du mal volontairement.

— Et alors, en quoi ça te concerne ?

— Tu es mon frère.

Andrew baissa les yeux, et Ross reprit d'une voix douce :

— Depuis quand me détestes-tu ? Depuis ton accident de V.T.T. ?

— Non, je t'ai toujours détesté, parce que j'étais ton cadet, parce que papa et maman t'autorisaient plein de choses qu'ils m'interdisaient à moi, parce que tu étais un modèle de vertu, un vrai petit saint... Parce que tu n'as jamais compris à quel point il était difficile de grandir dans ton ombre.

En tant que fils aîné, Ross avait pendant un certain temps bénéficié d'un statut privilégié, il en avait conscience. Ses parents étaient en admiration devant lui et lui accordaient souvent plus d'attention qu'à son frère.

Les choses avaient cependant changé après l'accident : de fils préféré, il était devenu du jour au lendemain la brebis galeuse de la famille.

19.

Dix-huit ans plus tôt

Nous étions dans le parc qui se trouve en contrebas de la maison de mes parents. J'avais eu un V.T.T. pour mes douze ans, exactement un mois plus tôt, et nous faisions du cross. « Nous », c'est-à-dire mon ami Grant, mon petit frère et moi. Andrew insiste toujours pour nous accompagner, Grant et moi, quand nous allons nous entraîner, bien que son vélo à lui ne soit pas conçu pour ça et que je refuse de lui prêter le mien. Ça l'exaspère et il n'arrête pas de geindre, mais tant pis pour lui : personne ne l'oblige à venir !

Ce jour-là, Grant me montrait une nouvelle figure : il s'agissait de faire un vol plané par-dessus un gros tronc d'arbre mort. A en juger par les traces de pneus, des tas de gens l'avaient fait avant nous, mais c'était quand même un exercice difficile.

Grant, qui a un V.T.T. depuis plus d'un an, a brillamment réussi son saut. Je l'avais bien observé, et je me sentais capable de l'imiter. J'ai mis mon V.T.T. à l'endroit précis d'où Grant avait démarré, et j'ai pédalé en danseuse, comme lui, pour prendre un maximum de vitesse.

Quand j'ai vu l'obstacle se rapprocher à toute allure, j'ai eu peur, mais il était trop tard pour freiner et, si je changeais brusquement de direction, c'était la chute assurée. Alors j'ai continué, le V.T.T. a décollé et je me suis réceptionné de l'autre côté en parfait équilibre. Grant m'a félicité, et nous avons ensuite recommencé, chacun à notre tour, pendant qu'Andrew nous regardait, sans rien réclamer, pour une fois.

Au bout d'une demi-heure, nous avons fait une pause — j'avais mal partout, parce que l'impact, à l'atterrissage, était très violent. Nous avons appuyé nos V.T.T. contre un arbre et nous nous sommes assis un peu plus loin pour pouvoir discuter tranquillement. Comme Andrew se tenait tranquille, j'ai fini par l'oublier, mais Grant, tout à coup, a regardé dans sa direction, et il s'est exclamé :

— Ton petit frère a pris ton vélo ! Il va essayer de sauter le tronc d'arbre !

— Non, Andrew ! Non ! ai-je crié.

Peine perdue… Andrew fonçait déjà vers l'obstacle et, quand il l'a atteint, il n'a pas pu relever le V.T.T. La roue avant a heurté le tronc, et il a été projeté par-dessus le guidon, bien au-delà de la zone de réception, à un endroit où le sol était dur et rocailleux.

J'ai entendu un sinistre craquement, puis plus rien. Andrew était étendu par terre, complètement inerte.

« Il est mort, ai-je pensé. Il est mort, sinon il pousserait des hurlements. »

Nous avons couru vers lui, et j'ai vu qu'il y avait du sang sur sa jambe et qu'un bout d'os sortait de sa cuisse.

— Va chercher du secours ! ai-je ordonné à Grant.

Il était blanc comme un linge, comme tétanisé, et j'ai dû le secouer par les épaules pour qu'il se décide enfin à m'obéir. Quand j'ai été seul avec mon frère, je me suis penché sur lui. Il respirait, Dieu merci, mais il était inconscient, et il pouvait aussi bien mourir là, sous mes yeux, sans que j'aie rien pu faire pour le sauver.

Le quart d'heure qu'a mis l'ambulance pour arriver m'a paru une éternité, et les ambulanciers eux-mêmes ont un peu pâli en voyant la jambe d'Andrew. Il a repris connaissance lorsqu'ils l'ont étendu sur le brancard, et il a alors crié si fort que j'en ai eu la chair de poule, mais il s'est de nouveau évanoui au bout de quelques secondes.

A l'hôpital, les examens ont montré qu'il ne s'était pas seulement cassé la jambe, mais aussi plusieurs côtes, et qu'il souffrait en plus de lésions internes. Il a subi une intervention chirurgicale qui a duré des heures.

Mes parents n'ont pratiquement pas quitté son chevet pendant les semaines qu'il lui a fallu pour se rétablir. Quant à moi, ils ne m'adressaient la parole que pour m'accabler de reproches : à leurs yeux, j'étais entièrement responsable de ce qui s'était passé. J'aurais dû mieux surveiller mon petit frère, c'est vrai, mais je lui avais interdit de toucher à mon V.T.T., et je croyais qu'il avait compris.

Et puis, quelques jours avant la date où Andrew devait sortir de l'hôpital, il a attrapé une infection dont il a failli mourir parce que les médecins n'ont pas trouvé tout de suite le bon antibiotique pour le soigner. Il n'est rentré à la maison que beaucoup plus tard, il a mis encore près d'un an à recouvrer toutes ses capacités physiques, et, jusqu'à sa guérison complète, mes parents ont vécu dans la crainte de le perdre.

Assis au Del Raye en face de son frère, Ross revivait cette période de sa vie, dont il se souvenait avec une douloureuse acuité. Jamais il n'oublierait les remords qui l'avaient alors tourmenté jour et nuit. Ses parents le traitaient en paria et, à douze ans, il était trop jeune pour comprendre qu'ils se sentaient coupables, eux aussi.

Après l'accident, ils avaient outrageusement gâté Andrew. Ils pensaient sans doute compenser ainsi ce qu'il avait souffert, mais, en cédant à tous ses caprices, ils avaient fait de lui un enfant, puis un adulte égocentrique et manipulateur.

Il avait cependant toujours été assez habile pour cacher ces défauts aux gens qu'il désirait séduire ou impressionner. Des gens comme Lucy qui, s'il lui avait révélé sa véritable personnalité, ne l'aurait jamais épousé. Mais elle s'était fiée aux apparences, et Ross n'avait même pas tenté de lui ouvrir les yeux, car, loin de le croire, elle l'aurait soupçonné de dénigrer Andrew par dépit.

Peut-être lui en voulait-elle aujourd'hui de ne pas l'avoir avertie, et peut-être s'y serait-il risqué malgré tout s'il s'était douté de la tournure que prendraient les événements, mais il avait espéré que le mariage changerait Andrew. Il s'était trompé, comme il s'était trompé en se disant que leurs relations, sans être excellentes, n'étaient pas celles de frères ennemis : malgré leurs dissemblances, il aimait Andrew et pensait que ce sentiment était partagé.

— Ainsi, tu m'as toujours détesté ? observa-t-il tristement.

— Je suis jaloux, c'est tout, marmonna Andrew.

— De quoi ?

— Tu sais qui tu es et où tu vas… Tu as réussi sans effort dans tous les domaines, tout le monde t'admire et te respecte… Je trouve ça profondément injuste.

Ross ne se reconnaissait pas dans la personne que décrivait son frère. Les choses n'avaient pas été faciles pour lui : il avait dû travailler dur pour réaliser ses ambitions, et il avait essuyé des échecs — le départ de sa femme, par exemple.

— Tu as trop bu, déclara-t-il. Tu n'as pas les idées claires.

— Tu vois ? Tu ne peux pas me parler sans me critiquer d'une façon ou d'une autre !

— Non, c'est toi qui déformes le moindre de mes propos ! s'écria Ross, perdant patience. Quoi que je dise, tu y trouveras matière à te plaindre !

— J'ai des raisons de me plaindre, il me semble : tu m'as cassé le bras !

— Je ne l'aurais pas fait si tu n'avais pas menacé Jennifer.

— Rien n'est jamais de ta faute, hein ? Tu te débrouilles toujours pour avoir le beau rôle ?

— Non, je regrette de t'avoir cassé le bras, mais, pour le reste, tu ne peux t'en prendre qu'à toi-même : c'est toi qui as trompé Lucy, toi qui as menti à Jennifer pour la séduire, toi qui lui as donné un faux numéro de téléphone, toi qui…

— Ça va ! Inutile de dresser la liste de tous mes péchés, réels ou imaginaires !

— D'accord, je me contenterai de m'attarder sur celui qui me révolte le plus : Jennifer est enceinte de toi et, au lieu de la soutenir, tu tentes de la faire passer pour une intrigante !

Dans son indignation, Ross avait élevé le ton. Les clients des tables voisines le considéraient avec curiosité, et il but une gorgée de bière pour essayer de se calmer. Il n'y parvint pas, mais se força à baisser la voix quand il reprit :

— Tu sais ce que je pense ?

— Non, et je n'ai pas envie de le savoir !

Ross ignora cette remarque.

— Je pense, enchaîna-t-il, que tu me détestes spécialement en ce moment pour une raison très simple : tu te dis que, si tu refuses de remplir tes obligations envers Jennifer, je m'en chargerai à ta place — ce en quoi tu as tout à fait raison. Cette certitude soulage ta conscience, si tant est que tu en aies une, mais tu es jaloux de l'opinion que les gens vont avoir de moi.

— Fiche-moi la paix !

— Il n'y a que la vérité qui blesse, et tu vas m'écouter jusqu'au bout ! Peu m'importe l'opinion des autres : je ne m'occuperai pas de Jennifer pour gagner leur considération, mais parce que j'estime devoir le faire. A cause de toi, cependant, ma vie tout entière va changer, alors je voudrais que, juste une fois, tu me regardes droit dans les yeux et que tu reconnaisses avoir menti à Jennifer, passé une nuit avec elle, et être le père de son bébé.

Andrew fixa la table et garda le silence. Ross attendit quelques instants, puis, n'obtenant aucune réaction, déclara d'un ton froid :

— Avec tout ton argent, tu pourrais au moins contribuer à l'éducation de ton enfant.

— Je n'ai pas un sou de côté.

— Tu te moques de moi ?

— Non, c'est vrai, je t'assure !

Ross n'en croyait pas ses oreilles. Le jour de leurs vingt et un ans, son frère et lui étaient entrés en possession d'un gros héritage venant de leurs grands-parents… Comment Andrew avait-il pu le dilapider en si peu de temps ?

— Où sont passées les centaines de milliers de dollars que tu as touchés à ta majorité ? demanda Ross.

Pas de réponse.

— Je sais que tu ne te refuses aucun luxe, mais de là à dépenser une somme aussi importante en cinq ans seulement…

— J'en ai assez de t'entendre m'accabler de reproches : je m'en vais ! s'écria brusquement Andrew en glissant quelques billets sous son verre vide et en se levant.

Ross l'imita et, le voyant sortir ses clés de voiture de sa poche, il alla se placer entre lui et la porte du bar.

— Tu n'es pas en état de conduire, décréta-t-il.

— Ote-toi de mon chemin !

— Non. Je t'empêcherai de prendre le volant par la force s'il le faut et, avec ton bras dans le plâtre, je n'aurai pas de mal à te maîtriser.

— Bon, d'accord, je vais appeler un taxi sur mon portable… Tu serais trop content si je me faisais arrêter par la police.

— Je n'en serais ni content ni mécontent : tu n'aurais que ce que tu mérites. Donne-moi tes clés, à présent !

Andrew jeta le trousseau sur la table, contourna son frère et se dirigea vers la porte sans un mot.

Une fois dehors, Andrew prit dans la poche intérieure de sa veste le deuxième jeu de clés qu'il y gardait toujours. Sa BMW, récupérée chez Ross quelques jours plus tôt, était garée dans une zone de stationnement payant et, s'il ne l'enlevait pas de là avant le lendemain matin, elle serait emmenée à la fourrière. Il faudrait aller la rechercher, et payer en plus une forte amende… Pas question d'appeler un taxi, donc !

Il courut à sa voiture, sauta dedans et démarra sans se donner la peine de mettre sa ceinture de sécurité. C'était une perte de temps, et il devait justement faire vite, disparaître avant que Ross ne quitte le bar. Il ne risquait pas d'avoir un accident, de toute façon : il n'avait bu que trois vodkas et se sentait parfaitement capable de conduire, n'en déplaise à M. Parfait ! La route de Vancouver lui était d'ailleurs si familière qu'il aurait pu rentrer chez lui les yeux fermés.

Ce ne fut que plusieurs kilomètres après la sortie de Portland qu'Andrew se rendit compte de son erreur : il n'avait plus de domicile ; c'était la direction du Regency qu'il aurait dû prendre en partant du Del Raye.

La pendulette de bord indiquait 22 heures. Il était encore tôt, alors pourquoi ne pas aller rendre une petite visite à Lucy, au lieu de rebrousser chemin ? Il prendrait des nouvelles de sa santé — ce qu'il avait omis de faire l'après-midi —, et elle serait peut-être touchée de cette sollicitude... Si, en plus, il s'excusait et reconnaissait ses torts, il avait des chances de l'amadouer. Sans elle, il ne lui restait plus aucun espoir de résoudre ses problèmes d'argent. Elle était riche, et il s'était toujours dit qu'au pire, il pourrait lui demander de l'aide. Les époux n'étaient-ils pas censés s'épauler en toutes circonstances ?

C'est Jennifer qui lui avait enlevé cette possibilité en venant s'installer à Portland et en racontant son histoire à qui voulait l'entendre. Maintenant Lucy voulait divorcer, et, si elle ne changeait pas d'avis, il se verrait privé de son dernier recours sur le plan financier, car son père s'était rétracté ; il refusait désormais de lui avancer le moindre sou. C'était d'autant plus injuste que cela arrivait juste au moment où il allait décider de rogner sur ses dépenses pour rembourser ses dettes et prendre un nouveau départ.

La mise en œuvre de ces bonnes résolutions dépendait maintenant de Lucy. Si elle lui pardonnait une faute assez légère, au fond, si elle lui donnait la somme nécessaire pour persuader Jennifer de partir et de les laisser vivre en paix...

Mais, pour convaincre Lucy, il devait avoir du temps devant lui et la persuader d'abord de l'écouter. Or elle se couchait tôt depuis le début de sa grossesse et le fait d'être tirée du lit la mettrait vraisemblablement dc si mauvaise humeur qu'elle refuserait sans doute de le recevoir.

Furieux contre lui-même, contre ce don qu'il avait de tout faire de travers, Andrew fit demi-tour. Sur le pont qu'il lui fallait traverser avant de tourner en direction du centre-ville de Portland, la circulation était ralentie par deux gros camions-citernes qui roulaient l'un derrière l'autre. Andrew était pressé d'aller se coucher, à présent. Il se pencha pour regarder la file de gauche, déboîta et accéléra pour dépasser les camions. Si une voiture arrivait, se dit-il, il pourrait toujours se rabattre entre les deux.

Il avait cependant mal apprécié la distance qui les séparait et, quand une vieille Chevrolet surgit en sens inverse, il s'aperçut qu'il n'avait ni le temps de doubler les camions, ni celui de freiner pour se replacer derrière eux, ni la place de se rabattre. La Chevrolet roulait vite... La collision était inévitable.

Affolé, Andrew lâcha le volant, se recroquevilla sur lui-même et ferma les yeux.

Après avoir quitté le Del Raye, Ross rentra directement chez lui. Il trouva Jennifer dans le bureau, plongée dans ses exercices d'informatique.

— Comment ça s'est passé ? lui demanda-t-elle.

— Pas très bien, mais j'ai pu éviter le pire : il a pris un taxi pour regagner son hôtel.

Ross se mit ensuite au travail, lui aussi, pour tenter d'évacuer le stress de sa conversation avec Andrew.

Au bout d'une demi-heure, le téléphone sonna. Il décrocha et eut la surprise de reconnaître la voix de Jackie, l'une des infirmières des urgences.

— Votre frère a eu un accident, lui annonça-t-elle. Une ambulance vient de nous l'amener.

Un frisson d'angoisse parcourut Ross.

— C'èst… c'est grave ? balbutia-t-il.

— Oui. Sa voiture en a heurté une autre de plein fouet.

20.

Trois minutes plus tard, Ross démarrait son 4x4 et tendait son portable à Jennifer en lui donnant le numéro de téléphone de Lucy.

— Je ne sais pas m'en servir, avoua-t-elle. Je n'en ai jamais eu.

Son cœur battait la chamade et elle avait les jambes molles. Andrew était de nouveau à l'hôpital, et pas pour un bras cassé, cette fois…

— Tu composes le numéro et tu appuies ensuite sur la touche blanche, expliqua Ross.

La jeune femme obéit et lui passa le téléphone dès que la première sonnerie retentit dans l'écouteur.

— Lucy ? C'est moi, dit Ross. Andrew a eu un accident. Il est au CHR de Portland. Je suis en train d'y aller avec Jennifer… Non, je n'ai pas eu de détails, mais ça a l'air sérieux… D'accord ! Sois prudente !

Sans quitter la route des yeux, il écarta le portable de son oreille, coupa la communication et rendit l'appareil à sa compagne.

— Appelle mes parents, maintenant ! lui ordonna-t-il. Leur numéro est enregistré. Il suffit d'appuyer sur la touche « M », puis sur la touche « 2 ».

Après une brève conversation avec son père, il remit le téléphone dans sa poche et resta ensuite silencieux pendant la fin du trajet. Il se gara sur le parking des urgences, aida Jennifer à descendre du 4x4 et régla son pas sur le sien bien qu'il brûlât manifestement d'impatience. Elle marcha aussi vite que le pouvait une femme enceinte de sept mois, et, le temps d'atteindre les portes automatiques, elle était hors d'haleine.

Une infirmière vint à leur rencontre et informa Ross que son frère était au bloc, mais sans lui donner plus d'éclaircissements. Il conduisit Jennifer dans la salle d'attente et la quitta aussitôt en disant qu'il allait aux nouvelles.

Edward et Katherine Griffin arrivèrent cinq minutes plus tard et se précipitèrent vers elle.

— Comment va Andrew ? lui demanda Edward, le visage tendu. Et où est Ross ?

Sa femme avait visiblement pleuré. Elle avait les yeux rouges, les lèvres serrées et l'air hagard. Son cœur supporterait-il le choc ? pensa Jennifer, inquiète. Elle s'imagina apprenant que son enfant avait été victime d'un grave accident de voiture… Il ne devait rien y avoir de pire pour une mère, et quand cette mère avait en plus des problèmes cardiaques…

— Ross est parti se renseigner, répondit-elle. Andrew est au bloc, mais je n'en sais pas plus.

Les Griffin s'assirent un peu plus loin et se mirent à discuter à voix basse, penchés l'un vers l'autre. Jennifer vit des larmes couler sur les joues de Katherine, et entendit Edward l'exhorter au calme.

Lucy entra dans la pièce juste avant que Ross n'y revienne. Il était pâle. Ses parents se levèrent, et Jennifer les imita.

— Alors ? s'écria Edward. Comment va-t-il ?

— Il souffre de nombreuses lésions internes et d'un traumatisme crânien, annonça Ross d'une voix blanche.

— Mais il s'en sortira ? demanda Katherine.

— Il est entre les mains du Dr Srinivasan, notre meilleur chirurgien.

Jennifer nota que Ross avait éludé la question de sa mère. Cela signifiait-il que la vie d'Andrew était en danger ? Lucy, elle, semblait trop hébétée pour avoir rien remarqué, et c'était sans doute mieux ainsi. Ross lui passa un bras autour des épaules, et ce geste la tira de sa léthargie : elle se serra contre lui et éclata en sanglots, la tête posée sur sa poitrine. Il lui murmura quelque chose à l'oreille en lui couvrant le dos de lentes caresses, et l'affection évidente qui les liait malgré leur divorce causa à Jennifer un douloureux pincement de jalousie.

Les pleurs de Lucy finirent par s'apaiser. Elle s'écarta de Ross et déclara :

— Comment est-ce arrivé ?

— Andrew a repris sa voiture après m'avoir quitté, répondit Ross, et je ne comprends pas comment il a pu le faire : il avait trop bu, et je l'avais obligé à me donner ses clés.

— Il en garde toujours un deuxième jeu sur lui, indiqua Lucy, au cas où il perdrait le premier.

— Quel idiot, mais quel idiot ! Pourquoi ne m'a-t-il pas écouté ?

— Ce n'est pas forcément lui qui a causé l'accident, intervint Edward.

— Il m'a tout de même menti : il est parti du bar en me promettant d'appeler un taxi.

— Il y a d'autres victimes ? demanda Lucy.

— Oui, le conducteur du véhicule qu'il a percuté, mais son état est moins sérieux. Contrairement à Andrew, il avait attaché sa ceinture de sécurité.

— Je ne peux pas croire que non seulement Andrew était ivre, mais qu'en plus il n'avait pas..., commença Katherine.

Sa voix s'étrangla, et elle se laissa tomber sur sa chaise.

— Ne te mets pas en colère, maman, lui conseilla doucement Ross. C'est mauvais pour toi.

Elle inspira plusieurs fois à fond, puis dit d'un ton plus calme :

— Je voudrais juste savoir ce qui se passe dans cette salle d'opération. Je ne supporte pas de rester dans l'incertitude.

— Ross t'a expliqué qu'Andrew était en de bonnes mains, lui rappela son mari. Quelqu'un viendra nous donner des nouvelles dès que l'intervention sera terminée. En attendant, il faut être patient.

— Comment le pourrais-je ? C'est la vie de mon fils dont il s'agit !

— Je vais essayer d'obtenir d'autres informations, annonça Ross.

Après avoir fait signe à Lucy d'aller s'asseoir près de Katherine, il disparut de nouveau dans le couloir. Edward reprit sa place près de sa femme, et Jennifer se sentit soudain très seule au milieu de cette famille frappée par le malheur mais unie dans l'épreuve.

Elle se dirigea vers la fenêtre et fixa tristement la nuit, dehors, jusqu'à ce que son bébé commence à bouger et l'arrache à ses sombres pensées. Elle mit les mains sur son ventre et sourit : non, elle n'était pas seule ; son enfant et l'amour qu'elle lui portait emplissaient déjà son existence tout entière.

Quand Ross revint, Jennifer l'entendit déclarer à ses parents et à Lucy qu'il n'avait rien appris de nouveau. Elle ne se retourna pas, mais des pas résonnèrent bientôt derrière elle, et deux mains se posèrent sur ses épaules.

— Tu ne serais pas mieux assise ? dit la voix de Ross, tout près de son oreille.

— Non.

— Ça va ? Tu tiens le coup ?

— Oui. Je me demande seulement si j'ai eu raison de t'accompagner. Ma présence doit rappeler à ton père et à Lucy que… Bref, ils n'ont vraiment pas besoin de ça en ce moment.

— Tu veux rentrer à la maison ?

— Je crois que c'est préférable.

— Tu as assez d'argent sur toi pour prendre un taxi ?

— Oui.

— Je vais t'en appeler un. Et ne m'attends pas pour te coucher : je risque de passer ici la majeure partie de la nuit.

— Téléphone-moi dès que tu auras parlé au chirurgien.

— Ça m'ennuie de te réveiller.

— Ce n'est pas grave, et je n'arriverai sans doute pas à dormir, de toute façon… Tu pourras saluer tes parents pour moi ? J'ai peur de les déranger.

— Comme tu voudras…

Ils sortirent de l'hôpital et trouvèrent devant l'entrée des urgences un taxi en train de déposer un client. Pendant que ce dernier payait la course, Jennifer se haussa sur la pointe des pieds et embrassa Ross sur la joue. C'était un baiser chaste, uniquement destiné à lui exprimer son soutien, mais il l'enlaça alors étroitement et murmura :

— Au bar, tout à l'heure, j'ai dit à Andrew des choses que je regrette maintenant profondément.

Sans doute s'étaient-ils disputés, songea la jeune femme. Ross avait dû faire des reproches à son frère, et il craignait à présent que ces dures paroles ne soient les dernières échangées entre eux.

Elle aurait aimé pouvoir le rassurer, lui garantir que tout s'arrangerait, mais, faute d'en être certaine, elle se contenta de le serrer fort dans ses bras avant de monter dans le taxi.

Une fois de retour chez Ross, Jennifer était encore si tendue qu'elle n'alla même pas se coucher. L'inquiétude la tiendrait éveillée et, plutôt que de se tourner et se retourner dans son lit en cherchant en vain le sommeil, elle essaya de s'occuper.

Le téléphone sans fil toujours à portée de main, elle prit une douche, enfila son peignoir de bain, puis s'installa dans le séjour avec son livre d'informatique.

Incapable de se concentrer, elle finit par le poser et attendit, la peur au ventre, l'appel de Ross.

Une heure s'écoula, puis une autre, et ce ne fut pas la sonnerie du téléphone qui rompit finalement le silence de la nuit, mais le bruit d'une voiture qui s'arrêtait dans la contre-allée et un claquement de portière, suivis du cliquetis d'une clé dans la serrure de la porte d'entrée.

Jennifer gagna le vestibule et y trouva Ross, le visage défait. Elle ouvrit la bouche pour lui demander des nouvelles d'Andrew, et la referma aussitôt. Ross la considéra un moment en silence avant de faire non de la tête, d'un mouvement presque imperceptible.

— Il est..., commença la jeune femme.

La boule douloureuse qui lui nouait la gorge l'empêcha de terminer sa phrase.

— Oui, répondit Ross d'une voix étranglée. Il n'a pas survécu à ses blessures.

C'était une chose de pressentir une tragédie, une autre d'en recevoir la confirmation en termes qui n'autorisaient plus le moindre doute, le moindre espoir, et Jennifer pâlit de saisissement.

— Oh ! mon Dieu, Ross... C'est affreux ! dit-elle en s'approchant de lui et en l'enlaçant.

Il tremblait et, quand il referma les bras sur elle, une plainte sourde, déchirante, s'échappa de sa poitrine. Même si ses relations avec Andrew avaient toujours été tendues, et encore plus que d'habitude au cours des semaines précédentes, ils étaient frères, et la mort d'un parent aussi proche constituait une perte irréparable.

La tête sur l'épaule de Ross, Jennifer se mit à pleurer. Elle souffrait pour lui, pour elle et pour son enfant, qui ne connaîtrait jamais son père. Ross posa la joue sur son front, et elle sentit des larmes se mêler aux siennes. Il pleurait, lui aussi, et ce fut entre deux sanglots étouffés qu'il murmura :

— Je me croyais capable de le détester jusqu'à la fin de mes jours, mais je me trompais.

La jeune femme s'écarta, plongea les yeux dans ceux de son compagnon et y vit un appel qui la bouleversa : lui qui ne demandait jamais rien à personne, lui, le roc toujours prêt à dispenser soutien et réconfort, il avait besoin d'elle.

Ils restèrent de longues minutes unis par le lien d'une émotion tout entière contenue dans leur regard, et puis Ross se pencha vers Jennifer et l'embrassa. Son baiser ne ressemblait à aucun de ceux qu'ils avaient déjà échangés : il était moins tendre qu'avide, et elle y répondit sans réserve.

— Jennifer, chuchota Ross.

Son intonation ne permettait pas de savoir s'il formulait une prière ou une question, mais, dans un cas comme dans l'autre, Jennifer comprenait ce qu'il voulait, et elle lui exprima son accord en lui offrant de nouveau ses lèvres.

Possédés par une fièvre grandissante, ils finirent par monter dans la chambre de Ross, et là, il lui fit l'amour avec un merveilleux mélange de fougue, de respect et de douceur.

« Je l'aime. Je l'ai toujours aimé », songea-t-elle avant que l'explosion de la jouissance ne la prive de toute capacité de réflexion.

Jennifer se réveilla dans un lit plus large que le sien, et garni de draps gris perle qu'elle n'avait jamais vus. Il lui fallut quelques instants pour comprendre où elle était, et pour avoir conscience d'une présence à son côté.

La mémoire lui revint alors : l'accident d'Andrew, l'hôpital, le retour de Ross et leur nuit d'amour...

Le réveil posé sur la table de chevet indiquait 6 h 30. Ross se levait généralement vers cette heure-là, mais Jennifer décida de le laisser dormir, et profita de son sommeil pour l'observer. Son visage était paisible, détendu, et elle put tout à loisir en admirer la beauté, mais aussi y chercher la clé qui lui donnerait accès aux secrets de son cœur. A certains moments, elle avait l'impression de ne pas le connaître du tout, et à d'autres celle de le connaître beaucoup mieux qu'il n'était possible compte tenu du peu de temps qu'ils avaient passé ensemble.

Quand il ouvrit les yeux et croisa son regard, elle ne détourna pas la tête. L'idée l'avait effleurée de quitter la chambre pendant qu'il dormait, mais elle l'aurait sans doute réveillé en sortant du lit, et mieux valait de toute façon affronter la réalité.

Une réalité qui l'angoissait pourtant : qu'allait penser Ross d'une femme qui s'était donnée à lui après avoir été la maîtresse d'un frère tout juste décédé ?

Rien sur ses traits ne laissait deviner ses sentiments tandis qu'il la fixait, immobile et silencieux. Aucun sourire, aucun froncement de sourcils, même léger, qui aurait révélé dans quelle disposition d'esprit il se trouvait.

— Tu es réveillée depuis longtemps ? finit-il par demander.

— Non, quelques minutes à peine.

L'ombre d'un sourire se dessina alors sur ses lèvres, mais s'effaça presque aussitôt, sans doute chassée par la douleur de la perte qu'il venait de subir.

— Bonjour, murmura-t-il.

— Bonjour, répéta Jennifer en lui caressant l'épaule dans un geste de tendresse et de compassion.

Il lui prit la main, y déposa un baiser, et le simple contact de cette bouche sur sa peau fit courir une onde de désir dans les veines de la jeune femme. Elle s'obligea à l'ignorer et déclara :

— Il faut que nous parlions de… de ce qui s'est passé cette nuit.

— Volontiers ! J'en garde un merveilleux souvenir.

— Tu ne penses donc pas que c'était…

— Mal ? Non. Nous en avions tous les deux envie, et nous ne sommes plus des enfants.

— Oui, mais… Andrew est mort.

— Je sais. Et nous, nous sommes vivants.

— Qu'allons-nous faire, maintenant ?

Non seulement Ross ne répondit pas, mais il détourna les yeux de Jennifer et se mit à fixer le plafond. Elle sentit ses craintes revenir : et si elle ne l'intéressait déjà plus ? S'il avait cherché du réconfort dans ses bras uniquement parce qu'elle était là au moment où il en avait besoin ? S'il ressemblait plus à Andrew qu'ils ne le croyaient ou ne voulaient le croire, lui comme elle ?

A moins qu'il ne pense à son frère et que le chagrin ne l'empêche de parler...

— Je ne sais pas ce que nous allons faire, dit-il finalement. Nous verrons plus tard. Dans l'immédiat, je vais me doucher, et il faut ensuite que je m'occupe d'organiser les obsèques.

Le matin de l'enterrement, un temps doux et calme céda dès 10 heures la place à une succession d'éclaircies et de passages nuageux, comme si le ciel se demandait si le soleil devait ou non accompagner cette triste journée.

Le service funèbre se déroula dans une vieille église, non loin de l'endroit où Andrew avait eu son accident. Jennifer s'assit tout au fond, seule sur un banc. Ross lui avait proposé de s'installer avec les membres de la famille, mais elle avait refusé de peur que cela ne suscite des rumeurs. Elle voulait assister à la cérémonie, pour pouvoir plus tard la décrire à son enfant, mais sans se faire remarquer.

« Allez, courage ! Ce n'est pas le moment de flancher ! »

Ces mots venus de son enfance tournaient dans sa tête comme un leitmotiv familier et réconfortant. C'étaient aussi les dernières paroles de sa mère, l'ultime message qu'elle avait transmis à Jennifer.

Après l'enterrement, parents et amis de la famille se rendirent chez Edward et Katherine Griffin. Des groupes se formèrent autour du buffet, sur la terrasse et dans le jardin, comme le jour de la réception du 4 juillet, mais l'ambiance n'était évidemment pas la même : les gens parlaient à voix basse, et les visages étaient sombres.

Jennifer reconnut parmi eux bon nombre des invités de ce pique-nique. Elle s'entretint avec Lenora, la tante de Ross, avec Melissa et plusieurs autres personnes, mais, juste après les avoir quittées, elle n'aurait su dire de quoi ils avaient discuté. Ce cadre lui évoquait aujourd'hui des souvenirs doux-amers ; il lui rappelait l'insouciance de son adolescence, l'époque où Andrew et elle sortaient ensemble... Qui aurait pu se douter, alors, qu'elle y reviendrait neuf ans plus tard pour lui adresser un dernier adieu ?

La plupart des gens partirent au bout d'une heure, et il ne resta bientôt plus que la famille proche. Lucy alla s'asseoir dans le canapé du séjour près de Katherine que la mort d'Andrew avait visiblement beaucoup affecté, tandis que Ross et son père s'isolaient dans un coin de la pièce.

Se sentant de trop, Jennifer se rendit dans la salle à manger, où le traiteur et ses employés débarrassaient la table. Elle se dirigea vers la baie vitrée et regarda la ville qui s'étendait en contrebas en songeant à toutes les vies en train d'y naître ou de s'y éteindre à cet instant précis.

Les bruits de vaisselle, derrière elle, cessèrent bientôt et, dans le silence revenu, elle entendit la porte s'ouvrir et des pas s'approcher. C'était Ross, elle le sut avant même de se retourner.

— Comment vont tes parents ? lui demanda-t-elle.

— Pas très bien. Lucy essaie de convaincre maman de monter s'étendre, et papa est allé prendre l'air dans le jardin.

— Ma présence n'a pas dû le ravir.

N'ayant pas participé aux préparatifs des obsèques, Jennifer n'avait pas revu Edward Griffin depuis la nuit de l'accident. Il l'avait traitée avec une grande politesse quand elle l'avait salué, devant l'église, mais cette politesse même reflétait la distance qu'il entendait maintenir entre eux, et elle s'était ensuite arrangée pour ne plus croiser son chemin. Ni celui de Lucy.

— J'aurais aimé que tu puisses apparaître aux yeux de nos amis et connaissances comme un membre de la famille — ce que tu es, puisque tu portes l'enfant d'Andrew, observa Ross.

— Ce n'est pas grave. Je comprends l'attitude de ton père. Il tient à protéger sa femme d'un nouveau choc, sans compter qu'il doit me juger responsable de la mort de son fils : l'accident d'Andrew est sans doute imputable en partie au moins à l'état de stress où l'avait mis mon installation à Portland.

Jennifer songeait maintenant à partir, définitivement. Son irruption dans leur vie avait déjà coûté assez cher aux Griffin.

— Andrew était ivre, lui rappela Ross. Il avait mélangé alcool et antalgiques, cocktail qu'il savait dangereux et qui aurait dû lui interdire de prendre le volant. Il aurait pu tuer quelqu'un.

— Il l'a fait.

— Quelqu'un d'autre que lui, je veux dire, comme le conducteur du véhicule qu'il a percuté… Tu n'as rien à te reprocher : Andrew a été victime de l'égoïsme et de l'inconscience qui l'ont toujours caractérisé.

— Tu n'as jamais conduit après avoir un peu trop bu ?

— Non, et toi ?

— Moi non plus.

— Tu vois ? Et si Andrew avait seulement été égocentrique et capricieux… Mais il voulait en plus que les gens l'aiment, et il ne cessait pour cela de leur mentir et de les manipuler. Il m'avait promis de rentrer en taxi, par exemple, mais c'était dans le seul but de se débarrasser de moi et d'avoir ainsi les mains libres pour agir à sa guise… Le connaissant, j'aurais dû me méfier, comprendre qu'il me donnait ses clés de voiture un peu trop docilement pour ne pas avoir une idée derrière la tête.

— Tu n'es pas le seul à t'être laissé duper par ses airs innocents… Tes parents eux-mêmes ont-ils jamais vu clair dans son jeu ?

Ross emmena Jennifer s'asseoir sur une des chaises de salle à manger et s'installa en face d'elle, l'air infiniment las, avant de répondre :

— Je crois qu'ils préféraient ne pas savoir. Il est sûrement difficile pour des parents d'admettre que leur fils, la chair de leur chair, n'a aucun sens moral. Cet aveuglement volontaire est aussi un moyen de nier qu'ils ont failli dans leur mission d'éducateurs.

Puis, comme s'il avait deviné les intentions de la jeune femme, il ajouta sans transition :

— Je ne veux pas que tu t'en ailles.

— Pourquoi ?

— Parce que ta place est ici. La disparition d'Andrew change tout : ton enfant a plus que jamais besoin d'une famille, et toi de soutien.

— Je peux très bien me débrouiller toute seule.

— C'est pourtant pour que ton bébé ait un père que tu es venue à Portland…

— Oui, mais son père est mort, à présent, et ses grands-parents nous rejetteront tous les deux, surtout après ce qui s'est passé. Je n'ai aucune envie de vivre dans la même ville qu'une famille dont je ne pourrai attendre que mépris et hostilité.

— T'ai-je jamais témoigné, moi, ce genre de sentiment ? Il me semble au contraire t'avoir prouvé, l'autre nuit...

— Nous avions juste besoin de réconfort.

C'était la première fois qu'ils abordaient ce sujet depuis le lendemain de cette fameuse nuit. Pendant les deux jours suivants, ils n'en avaient trouvé ni le temps ni le courage. Ils avaient continué de partager le même lit, puisant force et consolation dans le fait de s'endormir et de se réveiller dans les bras l'un de l'autre, mais ils n'avaient pas refait l'amour.

— Non, il ne s'agissait pas d'un simple besoin de réconfort, et tu le sais très bien ! protesta Ross. Quelque chose de beaucoup plus fort nous animait tous les deux. Quelque chose que plus rien ne nous empêche désormais de laisser s'exprimer.

Ces mots résonnèrent encore longtemps dans le silence qui suivit. Ross se leva, alla s'agenouiller près de Jennifer et posa la tête sur son ventre.

Comme s'il le sentait, le bébé se mit alors à bouger, et Ross lui chuchota des mots dont la jeune femme ne put saisir le sens.

— Rentrons à la maison, dit-il ensuite en se redressant. Nous en reparlerons plus tard.

21.

Ce soir-là, après le dîner, Ross et Jennifer montèrent déballer deux autres des cartons apportés par Melissa. Ils avaient besoin de se changer les idées après l'épreuve des obsèques, et cette occupation leur permettait de penser à l'avenir plutôt qu'au passé, à un événement heureux plutôt que tragique.

Ces cartons contenaient des jouets, dont un mobile composé d'éléments géométriques noirs et blancs. Ce genre d'objct se suspendait généralement au-dessus du berceau d'un enfant, mais, comme Jennifer comptait faire dormir le sien avec elle, Ross décida de le fixer à la table à langer, pour qu'il distraie le bébé pendant que sa mère ou lui le changerait.

Quand il l'eut installé, Ross recula d'un pas et le mit en mouvement d'une légère poussée du doigt. Quelques jours plus tôt seulement, ils avaient évoqué le départ de Jennifer, après la naissance et sans doute avant que son bébé soit assez grand pour s'intéresser à un mobile, mais Ross espérait maintenant plus que jamais qu'elle renoncerait définitivement à déménager.

Ils venaient d'enterrer Andrew, et Jennifer ne semblait pas encore prête à modifier ses projets d'avenir, mais c'était un sujet dont il leur faudrait discuter tôt ou tard…

— Nous devons parler de ce que nous allons faire, lui dit-il.

— A propos de quoi ?

— Du bébé. Et de nous.

— D'accord, parlons-en.

Assise à côté de la table à langer, la jeune femme finissait de vider les cartons. Ross prit place en face d'elle. Maintenant qu'il était au pied du mur, l'angoisse l'étreignait. Cet enfant dont ils étaient en train de préparer la venue au monde, il voulait non seulement le voir naître, mais esquisser son premier sourire, apprendre à marcher, prononcer son premier mot… Il voulait tellement partager ces moments avec Jennifer que, si elle décidait d'aller habiter ailleurs, il en mourrait de chagrin.

— Je… je crois que nous devrions nous marier, articula-t-il péniblement tant il redoutait une réponse négative.

— Nous marier ? répéta Jennifer.

— Oui.

Elle fixa en silence le hochet qu'elle tenait dans ses mains, puis leva les yeux vers Ross, qui sentit un élan d'espoir le soulever : il lisait dans son regard l'envie d'accepter tout ce qu'il pouvait leur offrir, à elle et à son enfant — et pas juste la sécurité matérielle, mais l'affection d'un mari et d'un père.

Cela ne dura cependant qu'un instant. Elle baissa de nouveau la tête et tripota nerveusement le hochet avant de murmurer :

— Ecoute, je…

Sa phrase resta en suspens. Ross attendit une suite qui ne vint pas, et il finit par demander d'une voix douce :

— Tu penses que c'est une mauvaise idée ?

— Je ne sais pas.

Bien que profondément déçu, Ross refusa de s'avouer vaincu. Il songea à leur nuit d'amour passionnée et aux suivantes, où le seul fait de dormir l'un près de l'autre leur avait apporté un merveilleux sentiment de communion et de bien-être. Un lien très fort les unissait visiblement, et Jennifer était trop sensible pour ne pas s'en être aperçue.

— La situation est compliquée, j'en ai conscience, observa-t-il. Tu es enceinte de mon frère, et mon ex-femme aussi...

Le visage de Jennifer s'assombrit, mais elle ne dit rien et garda les yeux obstinément baissés. Ross se pencha et posa les deux mains sur ses genoux pour établir entre eux un contact physique.

— Avant la disparition d'Andrew, reprit-il, je me serais résigné à te voir partir et à n'être qu'un oncle pour ton enfant, une sorte de parrain sur lequel il aurait toujours pu compter, mais qui n'aurait pas fait partie de sa vie quotidienne.

« Et j'aurais aussi veillé sur toi, sans jamais te laisser deviner combien tu m'es chère », ajouta-t-il intérieurement.

Ce n'était plus nécessaire, et peut-être même avait-il eu tort de renoncer d'avance à la garder. Les scrupules qui l'y avaient poussé étaient-ils vraiment fondés ? Le poids de la culpabilité qu'il traînait depuis neuf ans n'avait-il pas faussé son jugement ? La conduite de son frère au cours des années précédentes aurait dû suffire à l'exonérer de tout devoir de loyauté envers lui, mais sa faute passée et sa volonté de l'expier l'avaient empêché d'en prendre conscience.

Il regrettait d'avoir dû attendre qu'Andrew soit mort pour se sentir libre de conquérir Jennifer, mais, maintenant qu'ils avaient fait l'amour, ils ne pouvaient plus revenir en arrière. C'était vers l'avenir qu'il leur fallait se tourner.

— Je sais que les choses ne seront pas faciles quand ton enfant apprendra la vérité sur Andrew, déclara Ross, mais si nous sommes là tous les deux pour le soutenir... Il a besoin d'un père.

— C'était tout ce que je voulais.

— Je l'aimerai autant que si j'étais son vrai père.

— Et même plus, j'en suis certaine, mais des époux ne sont pas seulement des parents. Ce sont aussi...

— Des amants ? Bien sûr, mais, si j'en juge par notre première expérience dans ce domaine, ça ne devrait pas être un problème. Et je te répète ce que j'ai dit cet après-midi : ce n'est pas un simple besoin de réconfort qui nous a amenés à faire l'amour l'autre soir ; cela répondait à un sentiment bien plus profond, et bien moins éphémère. Le moment était peut-être mal choisi pour entamer une liaison, mais je ne regrette rien. Toi non plus, j'espère ?

— Non.

Ross prit les mains de Jennifer et les serra fort dans les siennes pour donner plus d'intensité à ses paroles :

— Je tiens beaucoup à toi, et je pense que c'est réciproque.

Il aurait pu lui dire qu'il l'aimait, mais cela lui semblait prématuré. Elle risquait de voir dans cet aveu la simple conséquence du vide affectif créé par la mort de son frère. Et elle, de son côté, aurait pu lui déclarer en retour un amour qui n'était en fait que de la gratitude pour son soutien passé, présent et futur. Elle l'aurait compris tôt ou tard, et ils en auraient été tous les deux affreusement malheureux.

Son bébé n'en avait pas moins besoin d'un père, et elle d'un mari qui lui permettrait d'élever son enfant dans de bonnes conditions matérielles et psychologiques.

— L'idée de m'épouser t'inspire visiblement des réserves, continua Ross, et j'aimerais en connaître la nature.

Jennifer dégagea ses mains et se remit à tripoter le hochet, l'air hésitant.

— Le mariage m'effraie, finit-elle par expliquer. Si je t'épousais, cela reviendrait à te confier mon destin et celui de mon enfant. Tu me le proposes aujourd'hui, et je ne doute pas de ta sincérité, mais les gens changent… Tu me quitteras peut-être un jour, et, si ça arrive, les choses seront bien pires que si je ne t'avais jamais épousé.

— Ça n'arrivera pas.

— Je ne veux pas que mon enfant parte un jour à ta recherche et t'entende nier tout lien avec lui, poursuivit Jennifer sans tenir compte de cette remarque. Je ne veux pas que tu le chasses comme un indésirable, comme moi, je l'ai été.

— Ton père t'a rejetée ? s'écria Ross, stupéfait.

— Oui. J'avais treize ans, et la naïveté de croire que, malgré notre longue séparation, il y avait toujours eu une place pour moi dans son cœur.

Un élan de compassion souleva Ross. Il n'avait pas de mal à imaginer la douleur de Jennifer, petite fille, en se voyant repoussée par un père dont elle n'attendait que la chose la plus simple et la plus naturelle du monde : un peu d'amour.

— Jamais je n'agirai ainsi avec ton enfant, déclara-t-il. Et je ne te quitterai pas, de toute façon.

— Pourquoi tiens-tu tellement à m'épouser ?

— Parce que c'est la meilleure solution pour toi et ton bébé.

— Et pour toi ?

— Pour moi aussi, bien sûr, sinon je ne te le proposerais pas.

— Je ne peux pas te répondre tout de suite. Il faut que je réfléchisse.

— Bien sûr !

— Je dois examiner les conséquences que notre mariage aurait pour mon enfant, et elles sont d'autant plus difficiles à évaluer que la situation est compliquée. Je veux que, une fois en âge de comprendre, mon fils ou ma fille sache que la défense de ses intérêts a été au cœur de chacun de mes actes. Il n'est pas question que je mette en péril son équilibre et son bonheur futurs en prenant une décision aussi importante sans en avoir d'abord soigneusement pesé le pour et le contre.

Ross, qui avait craint un refus immédiat et définitif, trouva dans les derniers propos de Jennifer matière à espérer.

— Tu as raison, dit-il, et j'attendrai le temps qu'il faudra.

Quelques jours plus tard, Ross se rendit chez sa belle-sœur, à Vancouver. La Mercedes était garée devant le perron, mais personne ne répondit à son coup de sonnette. Lucy devait être dans le jardin. Il contourna la maison et l'y trouva en effet, assise à l'ombre d'un arbre. Elle se leva en le voyant et vint à sa rencontre.

— Comment vas-tu ? lui demanda-t-il.

— Aussi bien que possible compte tenu des circonstances.

— Tu ne devrais pas rester seule. Un peu de compagnie te ferait du bien.

— J'ai eu quelques visites, mais elles m'ont fait plus de mal que de bien. Les gens m'assurent de leur sympathie, mais je sens en même temps qu'ils pensent : « Pauvre Andrew ! D'abord chassé par sa femme, et ensuite fauché à la fleur de l'âge... »

— Oui, les nouvelles vont vite, et les rumeurs les suivent de près.

Lucy paraissait encore sous le choc. A l'enterrement, elle avait manifesté plus de douleur que Ross ne s'y attendait, mais l'intensité de sa détresse pouvait s'expliquer par les semaines éprouvantes qui avaient précédé. Elle avait perdu Andrew deux fois, et, de l'homme et du père de son enfant, c'était sans doute le second qu'elle regrettait le plus.

Par égard pour Katherine, Lucy n'avait révélé à personne la raison de sa rupture avec son mari, ce qui lui nuisait doublement : non seulement cela la privait du soutien et de la compassion sincère de ses amis, mais il lui fallait en plus supporter sans rien dire leur muette réprobation.

— J'ai parlé au notaire de la famille, annonça Ross, et j'ai eu une mauvaise surprise : Andrew laisse de grosses dettes derrière lui.

— Des dettes ?

— Oui. Son assurance vie permettra de rembourser l'hypothèque qu'il avait prise sur la maison, mais c'est tout.

— Il m'avait caché ses problèmes d'argent, et il n'aura donc cessé de me mentir, dans tous les domaines... Je me demande même s'il m'a jamais aimée...

— Bien sûr que si, déclara Ross avec plus de conviction qu'il n'en ressentait vraiment.

Les yeux de Lucy se remplirent de larmes, et elle se jeta dans les bras de Ross. Il la berça, lui murmura des mots de réconfort, et ses pleurs s'apaisèrent finalement. Il voulut alors rompre leur étreinte, mais elle se serra plus fort contre lui, leva la tête et, s'il ne s'était détourné à temps, elle l'aurait embrassé sur la bouche.

— Tu n'es pas dans ton état normal, lui dit-il en la repoussant doucement mais fermement. Tu éprouves un chagrin et un désarroi qui te semblent pour l'instant insurmontables, mais je sais que tu trouveras la force de les vaincre et de prendre un nouveau départ.

— Sans toi…

— Je serai toujours l'oncle de ton enfant, et tu seras toujours comme une sœur pour moi, mais rien de plus.

— Tu as raison. Je… Excuse-moi.

— Tu es tout excusée.

— Alors oublions ce qui vient de se passer, d'accord ?

— D'accord. Je vais te laisser, à présent.

Pendant qu'elle raccompagnait Ross à sa voiture, Lucy observa d'un ton de calme résignation :

— C'est en partie à cause de Jennifer que tu ne veux pas de moi, n'est-ce pas ?

— En partie.

— Tu l'aimes ?

Il ne répondit pas et, après l'avoir regardé avec attention, elle hocha la tête, comme si ce qu'elle avait lu sur son visage lui rendait son rejet plus supportable.

— Je vous souhaite d'être heureux ensemble, murmura-t-elle avant de pivoter sur ses talons et de gravir d'un pas lourd les marches du perron.

*
* *

Le samedi suivant, Ross alla prendre le brunch chez ses parents. Il avait décidé de profiter de cette occasion pour les informer qu'il avait demandé Jennifer en mariage.

Il trouva sa mère dans la cuisine, en train de préparer une pâte à gaufres. Elle abandonna sa tâche en le voyant entrer et le serra dans ses bras plus fort et plus longtemps que d'habitude, comme s'il pouvait lui transmettre par ce simple contact un peu de la force dont elle manquait.

— Ton père est au téléphone, dit-elle après s'être écartée de Ross.

Sa voix était enrouée et des larmes brillaient dans ses yeux. Elle se remit au travail, et Ross lui laissa quelques instants pour maîtriser son émotion avant de déclarer :

— J'ai une nouvelle à t'annoncer : j'ai proposé à Jennifer de m'épouser. J'attends sa réponse, mais j'ai le ferme espoir qu'elle acceptera, même si le moment peut sembler mal choisi pour penser à un mariage.

Une expression de surprise se peignit sur les traits de sa mère, céda la place à un froncement de sourcils inquiet, puis à un sourire contraint.

— Si c'est ce que tu veux, dit-elle, je ne peux que m'en réjouir, mais...

— Mais ?

— Es-tu bien sûr de savoir dans quoi tu t'engages ?

— Oui. Jennifer est enceinte, et je vais l'aider à élever son enfant. Il grandira ainsi dans un vrai foyer, et tu auras deux petits-enfants à choyer au lieu d'un.

La pâte à gaufres était prête, et Katherine interrompit la conversation pour ranger la farine dans le placard et le lait dans le réfrigérateur. Ross entreprit pendant ce temps de laver à l'évier les cuillères et le verre mesureur abandonnés sur la table, et il se félicita de tourner ainsi le dos à sa mère quand elle rompit le silence pour demander :

— Et le père de cet enfant ?
— Il est parti.
— Tu sais qui c'est ?
— Oui, et je sais aussi qu'il ne reviendra pas.
— Les gens changent parfois d'avis… Imagine qu'il décide un jour de revendiquer ses droits sur l'enfant que tu auras vu grandir, que tu considéreras comme le tien… Ce sera terrible pour toi !
— Cela n'arrivera pas.
— Comment peux-tu en être certain ?
— Je le suis, c'est tout.
— Tu vas peut-être me trouver indiscrète, mais je suis ta mère, et je voudrais m'assurer que… que tu ne prends pas en charge une femme et un bébé qui ne te sont rien juste à cause de… de…
— De ma stérilité ? compléta Ross. Non, pas du tout.

En apprenant qu'il ne pourrait jamais avoir d'enfants, il avait d'abord été anéanti, mais l'idée d'en adopter lui avait ensuite permis de surmonter sa déception. Lucy s'y était cependant farouchement opposée, et cette divergence de vues avait précipité une rupture que leur désaccord sur d'autres sujets importants aurait peut-être rendue de toute façon inévitable.

Ross désirait toujours autant fonder une famille, mais pas à n'importe quel prix, et pas avec n'importe qui, sinon il l'aurait fait depuis longtemps. S'il souhaitait épouser Jennifer, ce n'était donc pas en désespoir de cause, comme sa mère avait l'air de le penser, mais parce qu'il la voulait, elle et aucune autre.

La conviction qu'il avait mise dans sa réponse avait cependant dû convaincre son interlocutrice, car, après avoir versé une première louche de pâte dans le gaufrier, elle observa en souriant :

— Alors tu as pris la bonne décision, et cet enfant aura beaucoup de chance de t'avoir pour père.

— Merci, maman.

Un jour, il lui dirait la vérité, songea Ross. Elle se saurait unie par les liens du sang à l'enfant de Jennifer et s'en réjouirait, du moins fallait-il l'espérer.

Edward entra dans la cuisine juste au moment où sa femme posait sur une assiette une gaufre dorée à point. Il avait les traits tirés et les yeux cernés de quelqu'un qui n'a pas dormi depuis plusieurs jours. Ross l'aida à mettre le couvert, et l'informa lui aussi de son projet de mariage avec Jennifer. Il n'obtint d'autre réaction que des vœux de bonheur un peu contraints, mais, après le repas, son père l'accompagna dehors et, dès qu'il fut sûr que Katherine ne pouvait pas l'entendre, il déclara :

— C'est bien Andrew le père du bébé de Jennifer, n'est-ce pas ?

— Oui.

— Je m'en doutais : elle m'a paru sincère, le jour où je lui ai rendu visite… Quel gâchis ! Andrew avait pourtant tout pour être heureux… Je voudrais bien savoir ce qui l'a pris de tromper Lucy.

— Ça n'a plus d'importance.

— Il m'avait dit que sa situation financière était compliquée. Il faudra probablement du temps pour la clarifier, mais, quand ce sera fait, nous essaierons de trouver un moyen discret de partager ses biens entre ses deux enfants.

— Il n'y a rien à partager : Andrew n'a laissé que des dettes.

— Alors il m'aurait menti…

— Je le crains.

— Ça ne me surprend pas vraiment, en réalité. J'ai beaucoup réfléchi, depuis sa disparition, et je me suis rendu compte que j'ai toujours été trop indulgent avec lui. Je ne lui ai pas fixé les limites dont il avait besoin, enfant, pour se structurer. En tant que père, j'aurais dû lui inculquer les valeurs morales qui lui auraient permis de devenir un adulte responsable et respectueux des autres. Si j'avais été à la hauteur de ma tâche, il serait sans doute encore en vie à l'heure qu'il est… Je sais que ce n'est pas une excuse, mais nous avons eu si peur de le perdre, ta mère et moi, après son accident de V.T.T., que nous l'avons ensuite trop gâté. Et nous t'avons aussi traité injustement : tu n'avais que douze ans, et c'était à nous, ses parents, de veiller à ce qu'Andrew ne fasse pas de bêtises.

— Ne t'inquiète pas pour ça. C'est du passé.

Edward hocha la tête, l'air reconnaissant, avant d'observer :

— Ainsi, tu vas prendre en charge l'enfant naturel de ton frère ?

— Oui, et je l'aimerai autant que s'il était de moi.

— Est-ce seulement pour lui donner un père que tu veux épouser Jennifer ?

— Non.

Un sourire éclaira enfin les traits fatigués d'Edward.

— Alors je te souhaite de connaître le bonheur que tu mérites, dit-il.

Un soir de la semaine suivante en rentrant de l'hôpital, Ross s'arrêta dans un restaurant chinois pour acheter des plats à emporter et loua une cassette vidéo dans un magasin voisin.

Il servit le repas sur la table basse du séjour et resta ensuite assis près de Jennifer dans le canapé pour regarder le film, un bras autour de ses épaules.

Cinq semaines seulement s'étaient écoulées depuis l'arrivée de la jeune femme, et Ross avait déjà du mal à imaginer sa vie sans elle. Une fois passé le traumatisme de son divorce, il avait trouvé dans le travail une certaine paix intérieure, mais il s'apercevait maintenant que la solitude lui avait pesé plus qu'il n'avait bien voulu l'admettre.

Et, si Jennifer refusait de l'épouser, il se sentirait encore plus seul qu'avant. Elle ne lui avait toujours pas donné sa réponse, et il n'osait pas en reparler — pour qu'elle n'ait pas l'impression d'être harcelée, mais aussi parce qu'il commençait à redouter de voir ses rêves brisés d'un simple mot. Bien qu'éprouvante, l'incertitude permettait au moins de continuer à espérer.

Jennifer portait ce soir un collier en argent hérité de sa mère, lui avait-elle dit. Il se mit à jouer avec pendant que le film se déroulait sur l'écran, et elle posa la tête sur son épaule, offrant à la caresse de ses doigts son cou à la peau douce et tiède.

Le désir monta en lui avec la puissance et la rapidité d'un raz-de-marée. Ils n'avaient pas fait l'amour depuis la nuit de la mort d'Andrew, et Jennifer ne tarderait pas à être trop près du terme de sa grossesse pour en avoir envie. Une envie qu'elle ne retrouverait ensuite sans doute pas avant plusieurs mois.

Ross ne voulait cependant pas la brusquer, aussi s'obligea-t-il à tourner ses pensées vers l'accouchement. Jennifer lui avait donné le nom de deux sages-femmes libérales, en lui demandant de se renseigner sur la réputation dont elles jouissaient dans le milieu médical. Ses confrères obstétriciens lui avaient dit du bien des deux, et il ne restait plus maintenant qu'à en choisir une.

Le mot « fin » apparut sur l'écran, et Ross éteignit la télévision.

— Je peux t'apporter quelque chose ? demanda-t-il à sa compagne. Un dessert ? Une boisson ?

— Non, merci, je n'ai besoin de rien. Et toi ?

— Moi non plus.

— Tu en es bien sûr ?

— Mais oui ! Pourquoi ?

— Parce que je te sens d'humeur très... câline, depuis un moment.

— Je l'avoue, mais si toi, tu ne l'es pas, ce n'est pas grave.

— Tu es toujours prêt à te sacrifier pour les autres, n'est-ce pas ?

Jennifer parlait d'une voix basse et rauque qui acheva d'incendier les sens de Ross.

— Où veux-tu en venir ? questionna-t-il, méfiant.

— Je me demande juste comment tu réagirais si quelqu'un faisait quelque chose pour toi.

— Je lui serais reconnaissant.

— Tu n'es donc pas de ces gens qui donnent sans cesse mais refusent de rien recevoir en échange ?

— Bien sûr que non !

— Vraiment ? observa la jeune femme avec un petit sourire sceptique. Eh bien, nous allons voir...

Sa main descendit lentement le long du corps de Ross et se referma sur l'endroit où une érection naissante tendait le tissu de son jean.

Palpitant de désir, il attira Jennifer contre lui et chercha ses lèvres. Elle avait eu raison de prendre l'initiative, car il aurait eu peur, en se montrant trop empressé, de lui imposer un rapport sexuel dont elle n'avait pas réellement envie.

Elle s'offrit à son baiser, mais s'écarta de lui au bout de quelques instants et entreprit de lui enlever son jean en disant :

— Tu es un amant très attentionné et, pour t'en remercier, je vais maintenant te donner du plaisir, à toi tout seul.

— Tu n'es pas obligée, se força-t-il à déclarer.

— Je croyais que tu savais recevoir ?

— Euh… oui.

— Alors c'est le moment de le prouver ! Arrête de protester et laisse-toi faire !

Ross obéit en souriant. C'était l'ordre le plus agréable qu'il ait jamais reçu.

22.

Edward Griffin appela Jennifer pour l'inviter à déjeuner à son club. Elle chercha aussitôt un prétexte pour refuser, mais il dut le deviner, car il fit remarquer avant qu'elle n'ait eu le temps de répondre :

— Je comprends que vous n'ayez pas très envie de me voir, après ma visite de l'autre jour, mais c'est notamment dans le but de vous présenter des excuses que je veux vous rencontrer.

La jeune femme accepta donc et le rejoignit en ville à l'heure du déjeuner. Une atmosphère à la fois austère et intime régnait dans les salles du club, tout de boiseries de chêne et tentures de velours.

Déjà installé à une table quand Jennifer arriva, Edward se leva et lui tira galamment une chaise en annonçant qu'il avait pris la liberté de lui commander un soda — boisson qu'il l'avait vue choisir le jour des obsèques d'Andrew, précisa-t-il.

Surprise qu'il ait remarqué ce genre de détail dans des circonstances aussi douloureuses pour lui, elle s'assit et attendit avec curiosité la suite des événements.

— Comme je vous l'ai expliqué ce matin au téléphone, commença Edward après avoir repris sa place, je voudrais d'abord m'excuser de vous avoir proposé de l'argent et demandé de quitter Portland. Je sais maintenant que vous disiez la vérité.

— Merci, murmura Jennifer, contente mais aussi un peu gênée d'entendre s'humilier devant elle un homme à qui cela ne devait pas arriver souvent.

— J'espère que vous trouverez là un plat à votre convenance, déclara-t-il en lui tendant le menu.

Ensuite, et pendant toute l'heure que dura le repas, il réussit à alimenter la conversation sans aborder aucun sujet grave ou délicat. Peut-être voulait-il lui permettre de déguster en paix l'excellente cuisine de son club, pensa Jennifer.

Après avoir commandé un café pour lui et un thé pour elle, cependant, il passa aux choses sérieuses :

— Vous avez supporté cette épreuve avec beaucoup de courage, observa-t-il, et je ne parle pas seulement de la mort de mon fils, mais aussi de ce qui l'a précédée. La façon dont Andrew s'est conduit envers vous me peine beaucoup. Il vous a mise dans une situation très difficile.

Edward marqua une pause, puis il reprit :

— Ross m'a informé qu'il vous avait proposé de l'épouser.

Etait-ce pour tenter de la convaincre de refuser qu'il l'avait invitée à déjeuner ? se demanda la jeune femme.

— En effet, dit-elle d'un ton un peu méfiant.

— Quelle réponse comptez-vous lui donner ?

— Je n'en sais rien encore.

— Vous allez peut-être trouver que je me mêle de ce qui ne me regarde pas, mais je vous suggère d'accepter.

Au soulagement qu'elle éprouva, Jennifer comprit que l'approbation d'Edward lui importait beaucoup plus qu'elle ne l'avait cru. S'il était prêt à l'accueillir dans sa famille, il y avait des chances pour que Katherine partage ses bonnes dispositions, et elle leur avait donc fait un procès d'intention en anticipant leur rejet.

— Je pensais que vous seriez hostile à cette idée, remarqua-t-elle.

— Pas du tout. Je serai heureux, au contraire, que mon petit-fils ou ma petite-fille grandisse dans les conditions les plus favorables à son épanouissement. Et je suis bien obligé de reconnaître que Ross sera pour lui ou pour elle un meilleur père qu'Andrew ne l'aurait été… Vous aimez Ross ?

Jennifer faillit répondre oui, mais se retint à temps : elle n'avait pas le droit de dire à Edward quelque chose qu'elle n'avait pas le courage de dire à l'intéressé lui-même.

— Nous tenons beaucoup l'un à l'autre, indiqua-t-elle, reprenant la formule de Ross.

La réaction de son interlocuteur la frappa de stupeur : il sortit de la poche intérieure de sa veste un rectangle de papier et le posa devant elle. C'était un chèque libellé à son nom, et d'un montant encore bien supérieur à celui qu'il lui avait offert la première fois.

— Pourquoi ? déclara-t-elle en levant les yeux vers lui.

— Je ne veux pas que vous épousiez Ross pour la seule sécurité matérielle qu'il peut vous offrir. Si vous n'êtes pas amoureuse de lui, prenez cet argent ; il vous mettra définitivement à l'abri du besoin, vous et votre enfant. Je vous demanderai juste un droit de visite régulier, afin que cet enfant entretienne des relations suivies avec ses grands-parents.

Sans l'ombre d'une hésitation, Jennifer poussa le chèque vers Edward, qui le remit dans sa poche et dit d'une voix grave :

— Rendez mon fils heureux. Il le mérite.

Le lendemain, Ross passa la matinée au dispensaire et emmena ensuite Jennifer déjeuner au Buddy's Café. Elle travaillait aussi l'après-midi, ce jour-là, et il la quitta devant la porte du restaurant ; son service au CHR commençait à 14 heures.

Melissa, qui prenait sa suite au dispensaire, était arrivée entre-temps : Jennifer la trouva dans le bureau de la réception, accompagnée de Frank.

Le chien lui fit fête, puis Melissa, qu'elle n'avait pas vue depuis l'enterrement d'Andrew, lui demanda :

— Comment va Ross ?

— La mort de son frère l'a beaucoup secoué, mais il n'en laisse évidemment rien paraître.

— Evidemment... Et vous, vous allez bien ?

— Oui et non. Les choses sont un peu compliquées.

— Si vous avez envie d'en parler, nous pourrions passer chercher Emily au centre aéré tout à l'heure, et aller ensuite nous promener dans le parc voisin... Qu'en dites-vous ?

— C'est une excellente idée ! s'écria Jennifer.

Son enthousiasme était sincère : elle avait besoin de se confier à quelqu'un et Melissa, étant à la fois son amie et celle de Ross, était la personne la mieux placée pour comprendre son dilemme.

Au cours de l'après-midi, Kyle vint la voir entre deux consultations pour savoir où en était la conception de sa page web. La jeune femme glissa dans l'ordinateur la disquette qu'elle avait apportée, et Kyle approuva le parti pris de clarté et de simplicité dont témoignait l'ébauche affichée sur l'écran.

Le reste de la journée passa vite : le téléphone ne cessait de sonner, il fallait sortir, puis mettre à jour le dossier des patients qui s'étaient déjà fait soigner au dispensaire, en constituer un pour les nouveaux, évaluer la gravité de l'état de ceux qui se présentaient sans rendez-vous et décider ou non de bouleverser le planning de l'un des deux médecins pour qu'il les reçoive en urgence... Jennifer fut presque surprise lorsque Melissa vint lui annoncer qu'il était l'heure d'aller chercher Emily au centre aéré.

— Mon mari est très impressionné par la façon dont vous vous acquittez de vos fonctions, lui déclara-t-elle sur le chemin du parking où était garée sa voiture.

— Elles n'ont rien de difficile.

— Prises séparément, non, mais ce poste a été occupé avant vous par des gens qui se sont révélés incapables de toutes les gérer en même temps. Vous, vous arrivez à faire plusieurs choses à la fois sans jamais vous laisser déborder, et c'est un talent qui vous sera très utile quand votre bébé sera là.

— Ça me rassure, car plus ce moment approche, plus je crains de ne pas être à la hauteur de la situation.

— Et vous n'avez pourtant encore pas la moindre idée de ce qui vous attend — la fatigue, le manque de sommeil, la course permanente pour réussir à concilier obligations familiales et professionnelles...

— Arrêtez, vous me faites peur ! s'exclama Jennifer en riant.

— Non, j'ai quelque chose de très important à ajouter : ce qui vous attend aussi, et qui vous surprendra, c'est la force de votre amour pour votre enfant.

— Je l'aime déjà.

— Ce n'est rien comparé à ce que vous éprouverez après la naissance. Il n'existe aucun mot qui puisse exprimer ce sentiment, mais vous comprendrez bientôt ce que je veux dire.

Maintenant arrivées au parking, elles montèrent en voiture et se rendirent au centre aéré d'Emily, situé dans le même quartier que la maison de ses parents. Une dizaine d'enfants de trois à six ans attendaient dans une grande salle que leur père ou leur mère vienne les chercher et, quand Emily vit entrer Melissa, elle courut se jeter dans ses bras.

— Dis au revoir à tes petits camarades et merci aux animateurs, lui ordonna cette dernière après l'avoir embrassée et reposée par terre.

La fillette obéit, puis elle prit les deux jeunes femmes chacune par une main et les entraîna vers la porte.

— Alors, qu'as-tu fait d'intéressant aujourd'hui ? lui demanda sa mère.

Le temps qu'Emily ait décrit, en totalité et avec force détails, toutes ses activités de la journée, Melissa se garait près d'un parc où Jennifer se rappelait être allée souvent se promener, neuf ans plus tôt. Très vaste, il comprenait deux courts de tennis et un terrain de base-ball qui attiraient des gens de tous âges.

Melissa mit Frank en laisse et confia à Emily le soin de s'en occuper. Visiblement fière de remplir cette tâche de « grande », la fillette partit devant, permettant ainsi à sa mère et à Jennifer de parler librement.

— Les choses doivent être différentes, à présent, déclara Melissa, entamant la conversation que Jennifer attendait impatiemment d'avoir avec elle.

— En effet.

— Les quelques fois où nous en avons parlé, j'ai eu l'impression que vous n'étiez pas particulièrement bien disposée envers Andrew, mais j'imagine que sa mort vous a malgré tout causé un choc.

— Oui. Même si j'étais en colère contre lui, sa disparition me peine. Je voulais que mon enfant connaisse son père.

— Vous pensez qu'il aurait fini par assumer ses responsabilités ?

— Je l'ignore. Peut-être... D'un autre côté, quel genre de père aurait-il été ? Sans doute pas celui que j'aurais souhaité pour mon bébé...

— Beaucoup d'hommes — et de femmes aussi, d'ailleurs, ne soyons pas sexistes — ne considèrent jamais que leurs propres intérêts.

— C'est un peu déprimant, observa Jennifer avec un sourire désabusé.

— Oui, mais il existe heureusement des gens sensibles et généreux. Comme Kyle. Comme Ross.

— Il m'a toujours soutenue.

— Naturellement ! C'est quelqu'un de bien.

Emily interrompit sa mère pour obtenir la permission de cueillir un pissenlit et de se le mettre à l'oreille. Melissa acquiesça de la tête et reprit :

— Que va-t-il se passer maintenant ? Vous allez rester chez Ross ?

— Au moins jusqu'à la naissance, et peut-être pour toujours... Il m'a demandée en mariage.

— Quoi ?

— Il m'a demandée en mariage, répéta Jennifer, bien que son interlocutrice eût très bien entendu la première fois, elle le savait.

— Voilà une excellente nouvelle ! Et vous avez beaucoup de chance : Ross est un type formidable.

— Oui, mais...

— Ne me dites pas que vous ne voulez pas de lui !

— Là n'est pas le problème.

— Alors qu'est-ce qui vous empêche de l'épouser ?

— C'est le frère d'Andrew, et l'oncle de mon bébé.

— Certes et, dans des circonstances ordinaires, il en résulterait une situation un peu bizarre, mais les circonstances n'ont justement rien d'ordinaire.

C'était aussi l'avis de Jennifer, mais elle avait besoin de l'opinion d'une autre personne, car elle craignait que son amour pour Ross ne lui enlève toute objectivité.

— Vous le pensez vraiment ? déclara-t-elle.

— Oui ! Arrêtez-moi si je me trompe, mais j'ai cru comprendre qu'Andrew et vous n'aviez passé qu'une nuit ensemble... Ce n'est pas comme si vous entreteniez une liaison de longue date avec lui quand vous êtes tombée enceinte !

— Non, mais j'étais quand même sa petite amie, à l'époque du lycée.

— Ah bon ?

Jennifer raconta alors toute l'histoire à Melissa — le sentiment de solitude qui l'avait poussée à sortir avec Andrew, le retour de Ross à Portland pour les vacances d'été, l'évolution de leurs rapports vers une entente de plus en plus profonde, le baiser qu'ils avaient échangé...

— J'avais le béguin pour lui, conclut-elle, et après l'avoir embrassé, je me suis sentie affreusement coupable.

— C'était juste un baiser, et vous étiez tous les deux très jeunes... Les choses sont plus compliquées aujourd'hui, je l'admets, mais vous n'avez rien à vous reprocher. Andrew vous a dupée en omettant de vous dire qu'il était marié, et il a ensuite refusé de remplir ses obligations envers vous et votre enfant. C'est lui qui a commis des fautes, et il n'y a aucune raison pour que vous passiez le restant de vos jours à les payer... Vous aimez Ross ?

Edward Griffin avait déjà posé cette question à Jennifer, et elle l'avait alors éludée. Cette fois, elle décida d'y répondre franchement :

— Oui, je suis éperdument amoureuse de lui.

— J'en étais sûre, mais pourquoi hésitez-vous à l'épouser, dans ce cas ? Pourquoi vous refusez-vous, à lui comme à vous, le bonheur que vous méritez tous les deux ?

— Je dois penser à mon enfant, et je me demande si ce mariage ne lui sera pas préjudiciable.

— Vous n'avez pas à vous inquiéter : Ross fera un père merveilleux.

— Un père qui sera en même temps un oncle... Vous ne croyez pas que cela risque de perturber...

— Vous voulez savoir ce qui, à mon avis, est le plus important pour un enfant — en dehors du fait d'être aimé, naturellement ? C'est d'avoir des parents qui s'aiment. Il a ainsi sous les yeux un exemple de relation riche et saine qui lui donne des rapports humains une bonne image, et du monde une vision rassurante. La confiance en lui et dans les autres qu'il en retire est le meilleur garant de son équilibre et de son bonheur futur. Tout le reste est accessoire, et d'autant plus que vous serez deux pour aider votre enfant à comprendre la situation... J'espère vous avoir convaincue ?

— Sur ce point, oui, mais il y a autre chose.

Melissa lança un regard interrogateur à Jennifer, qui hésita à s'expliquer : le doute qu'elle nourrissait était difficile à avouer, même à une amie.

— Je ne suis pas certaine que Ross m'aime, finit-elle par déclarer.

— Il ne vous l'a pas dit ? demanda Melissa, l'air plus amusé que soucieux.

— Non, il m'a seulement dit qu'il tenait beaucoup à moi, et ce n'est pas du tout la même chose.

— Ne vous tracassez pas pour si peu ! De nombreux hommes ont du mal à admettre qu'ils sont amoureux, mais Ross l'est de vous, c'est évident. Il suffit de voir la façon dont il vous regarde... Je m'en suis aperçue, et Kyle aussi, mais Ross, en plus d'être d'une nature réservée, a eu une expérience sentimentale qui ne doit pas l'encourager à dévoiler ses sentiments et à se mettre ainsi en état de vulnérabilité.

Une lueur malicieuse brilla dans les yeux de Melissa, et elle reprit :

— Il va peut-être falloir que vous lui forciez un peu la main.

Ross eut la surprise, en sortant de l'hôpital, de trouver Jennifer en train de l'attendre sur le parking, au volant de son break.

— Monte ! lui ordonna-t-elle. Je t'emmène dîner au restaurant.

— En quel honneur ?

— Il faut que nous parlions.

Une fois à destination, la jeune femme demanda au maître d'hôtel de leur donner une table sur la terrasse, encore vide de clients. Ils s'installèrent, et Jennifer, après avoir étalé sa serviette sur son gros ventre, ouvrit tranquillement le menu.

— Il paraît que le poisson est excellent, ici, remarqua-t-elle.

Déconcerté, Ross l'observa du coin de l'œil. Il ne voyait à cette sortie impromptue d'autre raison que la célébration d'un grand événement, et le seul qui lui venait à l'esprit était une réponse positive à sa demande en mariage, mais le calme de Jennifer l'inquiétait. Une femme sur le point d'annoncer ce genre de nouvelle aurait dû être émue, excitée, survoltée, même...

— Tu as quelque chose à me dire ? s'enquit-il finalement, n'y tenant plus.

— Ce serait plutôt à moi de te poser la question.

— Pourquoi ?

— Ecoute, Ross, déclara-t-elle en remettant le menu sur la table, nous sommes amis, et des amis ne doivent pas avoir de secrets l'un pour l'autre, alors je voudrais que tu me parles franchement.

Perplexe et envahi par une crainte grandissante de voir sa proposition refusée, Ross bredouilla :

— De... de quoi suis-je censé te parler franchement ?

Un serveur interrompit la conversation en venant leur apporter deux verres d'eau et une soucoupe de rondelles de citron. Il repartit aussitôt après, mais, au lieu de reprendre la discussion là où ils l'avaient laissée, Jennifer ajouta à son eau le jus de trois rondelles de citron et mélangea le tout avec une lenteur qui mit les nerfs de Ross à rude épreuve.

— Pourquoi m'as-tu invité à dîner, si tu n'avais rien de spécial à me dire ? s'exclama-t-il.

— Eh bien, je suis allée me promener hier avec Melissa, Emily et Frank.

Ross attendit la suite et, comme elle tardait à arriver, il insista :

— Oui, et alors ?

— Alors, rien.

Ce fut l'apparition d'une serveuse, cette fois, qui empêcha Ross de poursuivre son interrogatoire.

— Vous avez choisi ? demanda-t-elle.

— Oui, répondit Jennifer. Pour moi, ce sera du saumon grillé, une salade composée et du gâteau au chocolat.

— La même chose pour moi, indiqua Ross faute d'avoir consulté la carte.

La serveuse s'éloigna, et il s'apprêtait à repartir à l'attaque quand Jennifer se leva en annonçant :

— Tu veux bien m'excuser une minute ? Il faut que j'aille aux toilettes. Le bébé m'appuie sur la vessie.

Son absence dura beaucoup plus d'une minute, et Ross était sur des charbons ardents lorsqu'elle revint enfin s'asseoir en face de lui.

— Ah ! si... J'avais autre chose à te dire, au sujet de cette promenade d'hier. Melissa m'a donné son avis sur notre éventuel mariage : elle ne trouve pas l'idée inintéressante.

Le peu d'enthousiasme qu'exprimait cette formulation le piqua au vif. Une amie aussi proche aurait pu défendre sa cause avec plus d'ardeur !

— Elle pense que tu ferais un bon père, continua Jennifer.

— Ah ! quand même !

— Et elle ne voit rien de choquant dans le fait que j'épouse l'oncle de mon bébé.

— Je me moque de l'opinion de Melissa ! C'est la tienne que je veux connaître.

— Elle admet que cela créerait une situation un peu embrouillée pour mon enfant, mais des explications franches et claires, quand il serait en âge de comprendre, suffiraient selon elle à résoudre le problème.

— Mais toi, qu'en penses-tu ? insista Ross, exaspéré.

— Je suis d'accord avec Melissa sur tous ces points.

Ross poussa un soupir de soulagement.

— Elle m'a cependant dit autre chose, ajouta Jennifer.

— Quoi ? grommela Ross qui commençait à se demander si son cœur allait supporter ces brusques passages de l'anxiété à l'espoir, et vice versa.

— Que le plus important pour un enfant était d'avoir des parents qui s'aiment, car cela lui sert de modèle pour ses futures relations avec les autres.

— Cela me paraît très juste.

— A moi aussi, indiqua Jennifer.

Il y avait dans sa voix une pointe d'amertume qui surprit Ross.

— Nous sommes d'accord, alors pourquoi es-tu triste ? questionna-t-il en se penchant vers elle et en posant les mains sur les siennes.

— Parce que je ne peux pas t'épouser.

— Tu... tu ne peux pas ? balbutia-t-il, interloqué.

— Non.

— J'en déduis que tu n'es pas amoureuse de moi...

Quel idiot il avait été de croire que Jennifer pouvait l'aimer ! songea-t-il. Le jour où il l'avait demandée en mariage, il ne lui avait pas révélé ses sentiments de peur qu'elle ne prétende les partager par reconnaissance envers lui ou par pitié, pour ne pas le blesser, mais il y avait également eu de la lâcheté dans son silence : Jennifer aurait pu aussi lui annoncer qu'elle ne l'aimait pas. Il savait maintenant à quoi s'en tenir, et sa douleur dépassait tout ce qu'il avait imaginé.

— Bien sûr que si ! s'écria Jennifer.

— Attends... De quoi parles-tu ?

— Je t'aime, gros bêta !

— Ah bon ? Tu... tu m'aimes... Mais alors où est le problème ?

— A ton avis ?

Ross se vantait de garder la tête froide même dans les situations les plus stressantes. Au service des urgences, il devait souvent prendre rapidement plusieurs décisions importantes à la fois, et il ne perdait jamais ni sa capacité de jugement ni sa clarté d'esprit.

Mais, en entendant la femme qu'il l'aimait lui déclarer qu'elle l'aimait mais ne pouvait pas l'épouser, il sentait sa raison vaciller.

— Tu sais ce que Melissa m'a dit ? reprit Jennifer.

— Non, et très franchement, ça ne m'int…

— Elle m'a dit qu'un homme amoureux d'une femme et qui la demande en mariage sans juger utile de le lui préciser mérite une petite leçon.

— Une petite leçon ?

— Oui, mais qu'il faut aussi lui offrir une chance de se rattraper, répondit Jennifer avec un sourire espiègle.

Elle fit ensuite un signe au garçon qui prit sur la desserte une assiette recouverte d'une serviette rouge et la mit sur la table en lançant à la jeune femme un coup d'œil complice.

Lorsqu'il fut reparti, Ross murmura :

— Je t'aime, c'est vrai, mais je voulais attendre pour te le dire que… que…

— Que nous soyons mariés ? Tu ne comprends donc pas que mon incertitude à ce sujet était la cause principale de mes réticences ?

— Mais, maintenant que tu le sais, tu es décidée à m'épouser, n'est-ce pas ? insista Ross pour s'assurer que sa compagne ne lui réservait pas d'autres surprises désagréables.

— Ça dépend… Regarde d'abord ce qu'il y a dans cette assiette.

Ross souleva la serviette et découvrit, posée sur un lit de feuilles de laitue, une fourchette dont l'une des dents avait été recourbée en forme de cercle.

— Alors, que vois-tu ? questionna Jennifer.

— Une fourchette.

— Mauvaise réponse ! Je t'en accorde une autre, mais ce sera la dernière, alors réfléchis bien !

Amusé malgré lui, Ross considéra l'objet, et il eut soudain une illumination.

— C'est une alliance ! s'exclama-t-il d'un ton triomphant.

— Oui, mais il te reste une ultime épreuve à passer : je ne serai vraiment sûre de ton amour que si tu acceptes de la porter.

— Je le ferai à condition que tu acceptes, toi, de porter ceci, répliqua Ross avant de sortir un écrin de sa poche et de l'ouvrir.

Un diamant entouré de saphirs se mit à briller doucement à la lueur du soleil couchant. Ross avait acheté cette bague le lendemain du jour où il avait demandé Jennifer en mariage, et il la gardait sur lui depuis, comme une sorte de talisman.

— Elle est magnifique ! s'écria la jeune femme.

— Tu veux bien la porter, alors ?

En guise de réponse, elle tendit sa main gauche, et Ross glissa le bijou à son annulaire.

— Nous sommes fiancés, chuchota-t-il, le cœur inondé de bonheur.

— Non, pas encore tout à fait. A toi, maintenant ! Donne-moi ta main !

Il obéit, et Jennifer lui passa au doigt l'anneau formé par la dent recourbée de la fourchette.

— C'est juste la bonne taille ! dit-elle, surprise.

Ross la regarda tendrement, puis brandit sa main, d'où saillait drôlement le manche de l'ustensile, et déclara avec un grand sourire :

— Je te charge d'expliquer à nos futurs petits-enfants pourquoi leur grand-père se promène toujours avec une fourchette à la main !

Chère lectrice,

Vous nous êtes fidèle depuis longtemps?
Vous venez de faire notre connaissance?

C'est pour votre plaisir que nous avons imaginé un rendez-vous chaque mois avec vos auteurs préférés, vos AUTEURS VEDETTE *dans les collections* Azur *et* Horizon.

Les AUTEURS VEDETTE *vous donneront rendez-vous pour de nouveaux livres vedette.*

Pour *les reconnaître, cherchez l'étoile...* Elle *vous guidera!*

Éditions Harlequin

LE FORUM DES LECTEURS ET LECTRICES

CHERS(ES) LECTEURS ET LECTRICES,

VOUS NOUS ETES FIDÈLES DEPUIS LONGTEMPS?

VOUS VENEZ DE FAIRE NOTRE CONNAISSANCE?

SI VOUS AVEZ DES COMMENTAIRES, DES CRITIQUES À FORMULER, DES SUGGESTIONS À OFFRIR, N'HÉSITEZ PAS... ÉCRIVEZ-NOUS À:

LES ENTERPRISES HARLEQUIN LTÉE.
498 RUE ODILE
FABREVILLE, LAVAL, QUÉBEC.
H7R 5X1

C'EST AVEC VOS PRÉCIEUX COMMENTAIRES QUE NOUS ALLONS POUVOIR MIEUX VOUS SERVIR.

DE PLUS, SI VOUS DÉSIREZ RECEVOIR UNE OU PLUSIEURS DE VOS SÉRIES HARLEQUIN PRÉFÉRÉE(S) À VOTRE DOMICILE, NE TARDEZ PAS À CONTACTER LE SERVICE D'ABONNEMENT; EN APPELANT AU (514) 875-4444 (RÉGION DE MONTRÉAL) OU 1-800-667-4444 (EXTÉRIEUR DE MONTRÉAL) OU TÉLÉCOPIEUR (514) 523-4444 OU COURRIER ELECTRONIQUE: AQCOURRIER@ABONNEMENT.QC.CA OU EN ÉCRIVANT À:

ABONNEMENT QUÉBEC
525 RUE LOUIS-PASTEUR
BOUCHERVILLE, QUÉBEC
J4B 8E7

MERCI, À L'AVANCE, DE VOTRE COOPÉRATION.

BONNE LECTURE.

HARLEQUIN.

VOTRE PASSEPORT POUR LE MONDE DE L'AMOUR.

COLLECTION HORIZON

Des histoires d'amour romantiques qui vous mènent au bout du monde!

Découvrez la passion et les vives émotions qu'apportent à la Collection Horizon des auteurs de renommée internationale!

Captivantes, voire irrésistibles, ces histoires d'amour vous iront assurément droit au coeur.

Surveillez nos quatre nouveaux titres chaque mois!

La COLLECTION AZUR
Offre une lecture rapide et
stimulante
poignante
exotique
contemporaine
romantique
passionnée
sensationnelle!
COLLECTION AZUR . . . des histoires d'amour traditionnelles qui vous mènent au bout du monde!
Six nouveaux titres chaque mois.

Composé et édité
PAR LES ÉDITIONS HARLEQUIN
Achevé d'imprimer en juillet 2003

BUSSIÈRE
GROUPE CPI

à Saint-Amand-Montrond (Cher)
Dépôt légal : août 2003
N° d'imprimeur : 33597 — N° d'éditeur : 10018

Imprimé en France